Eu

Rhinocéros

Dossier réalisé par
Olivier Rocheteau

Lecture d'image par
Ferrante Ferranti

folioplus
classiques

Olivier Rocheteau est agrégé de lettres modernes. Il enseigne en classes préparatoires aux grandes écoles au lycée Albert Schweitzer du Raincy. Chez Gallimard, il a accompagné une lecture du recueil *Corps et biens* de Robert Desnos («La bibliothèque Gallimard», n° 153).

Né en 1960 d'une mère sarde et d'un père sicilien, **Ferrante Ferranti** est architecte de formation. En même temps qu'il développe le goût des voyages, il devient photographe et fait découvrir, par ses recueils de photographies, des villes superbes (Prague, Saint-Pétersbourg, Palerme, Rome). En 2003, il publie *Lire la photographie* chez Bréal, et, en 2006, il réalise la lecture d'image accompagnant *Zazie dans le métro* dans la collection «Folioplus classiques», n° 62.

Couverture : Man Ray, *Autoportrait*, vers 1925. © Man Ray Trust/ADAGP/Telimage, 2006.

Sommaire

Sommaire

Rhinocéros

Pièce en trois actes et quatre tableaux

À Jean-Louis Barrault,
à Geneviève Serreau
et au docteur T. Fraenkel.

PERSONNAGES

par ordre d'entrée en scène :

	TABLEAU
LA MÉNAGÈRE	Ier
L'ÉPICIÈRE	Ier
JEAN	Ier, 3^e
BÉRENGER	Ier, 2e, 3e, 4^e
LA SERVEUSE	Ier
L'ÉPICIER	Ier
LE VIEUX MONSIEUR	Ier
LE LOGICIEN	Ier
LE PATRON DU CAFÉ	Ier
DAISY	Ier, 2e, 4^e
MONSIEUR PAPILLON	2^e
DUDARD	2e, 4^e
BOTARD	2^e
MADAME BŒUF	2^e
UN POMPIER	2^e
MONSIEUR JEAN	3^e
LA FEMME DE MONSIEUR JEAN	3^e
PLUSIEURS TÊTES DE RHINOCÉROS	

Acte premier

Décor

Une place dans une petite ville de province. Au fond, une maison composée d'un rez-de-chaussée et d'un étage. Au rez-de-chaussée, la devanture d'une épicerie. On y entre par une porte vitrée qui surmonte deux ou trois marches. Au-dessus de la devanture est écrit en caractères très visibles le mot : « ÉPICERIE ». Au premier étage, deux fenêtres qui doivent être celles du logement des épiciers. L'épicerie se trouve donc dans le fond du plateau, mais assez sur la gauche, pas loin des coulisses. On aperçoit, au-dessus de la maison de l'épicerie, le clocher d'une église, dans le lointain. Entre l'épicerie et le côté droit, la perspective d'une petite rue. Sur la droite, légèrement en biais, la devanture d'un café. Au-dessus du café, un étage avec une fenêtre. Devant la terrasse de ce café : plusieurs tables et chaises s'avancent jusque près du milieu du plateau. Un arbre poussiéreux près des chaises de la terrasse. Ciel bleu, lumière crue, murs très blancs. C'est un dimanche, pas loin de midi, en été. Jean et Bérenger iront s'asseoir à une table de la terrasse.

Avant le lever du rideau, on entend carillonner. Le

carillon cessera quelques secondes après le lever du rideau. Lorsque le rideau se lève, une femme, portant sous un bras un panier à provisions vide, et sous l'autre un chat, traverse en silence la scène, de droite à gauche. À son passage, l'Épicière ouvre la porte de la boutique et la regarde passer.

L'ÉPICIÈRE : Ah ! celle-là ! *(À son mari qui est dans la boutique.)* Ah ! celle-là, elle est fière. Elle ne veut plus acheter chez nous.

> *L'Épicière disparaît, plateau vide quelques secondes.*
> *Par la droite, apparaît Jean ; en même temps, par la gauche, apparaît Bérenger. Jean est très soigneusement vêtu : costume marron, cravate rouge, faux col amidonné, chapeau marron. Il est un peu rougeaud de figure. Il a des souliers jaunes, bien cirés ; Bérenger n'est pas rasé, il est tête nue, les cheveux mal peignés, les vêtements chiffonnés ; tout exprime chez lui la négligence, il a l'air fatigué, somnolent ; de temps à autre, il bâille.*

JEAN, *venant de la droite* : Vous voilà tout de même, Bérenger.

BÉRENGER, *venant de la gauche* : Bonjour, Jean.

JEAN : Toujours en retard, évidemment ! *(Il regarde sa montre-bracelet.)* Nous avions rendez-vous à onze heures trente. Il est bientôt midi.

BÉRENGER : Excusez-moi. Vous m'attendez depuis longtemps ?

JEAN : Non. J'arrive, vous voyez bien.

> *Ils vont s'asseoir à une des terrasse du café.*

BÉRENGER : Alors, je me sens moins coupable, puisque vous-même...

JEAN : Moi, c'est pas pareil, je n'aime pas attendre, je n'ai pas de temps à perdre. Comme vous ne venez jamais à l'heure, je viens exprès en retard, au moment où je suppose avoir la chance de vous trouver.

BÉRENGER : C'est juste... c'est juste, pourtant...

JEAN : Vous ne pouvez affirmer que vous venez à l'heure convenue !

BÉRENGER : Évidemment... je ne pourrais l'affirmer.

> *Jean et Bérenger se sont assis.*

JEAN : Vous voyez bien.

BÉRENGER : Qu'est-ce que vous buvez ?

JEAN : Vous avez soif, vous, dès le matin ?

BÉRENGER : Il fait tellement chaud, tellement sec.

JEAN : Plus on boit, plus on a soif, dit la science populaire...

BÉRENGER : Il ferait moins sec, on aurait moins soif si on pouvait faire venir dans notre ciel des nuages scientifiques.

JEAN, *examinant Bérenger* : Ça ne ferait pas votre affaire. Ce n'est pas d'eau que vous avez soif, mon cher Bérenger...

BÉRENGER : Que voulez-vous dire par là, mon cher Jean ?

JEAN : Vous me comprenez très bien. Je parle de l'aridité de votre gosier. C'est une terre insatiable.

BÉRENGER : Votre comparaison, il me semble…

JEAN, *l'interrompant* : Vous êtes dans un triste état, mon ami.

BÉRENGER : Dans un triste état, vous trouvez ?

JEAN : Je ne suis pas aveugle. Vous tombez de fatigue, vous avez encore perdu la nuit, vous bâillez, vous êtes mort de sommeil…

BÉRENGER : J'ai un peu mal aux cheveux…

JEAN : Vous puez l'alcool !

BÉRENGER : J'ai un petit peu la gueule de bois, c'est vrai !

JEAN : Tous les dimanches matin, c'est pareil, sans compter les jours de la semaine.

BÉRENGER : Ah ! non, en semaine, c'est moins fréquent, à cause du bureau…

JEAN : Et votre cravate, où est-elle ? Vous l'avez perdue dans vos ébats !

BÉRENGER, *mettant la main à son cou* : Tiens, c'est vrai, c'est drôle, qu'est-ce que j'ai bien pu en faire ?

JEAN, *sortant une cravate de la poche de son veston* : Tenez, mettez celle-ci.

BÉRENGER : Oh, merci, vous êtes bien obligeant.

Il noue la cravate à son cou.

JEAN, *pendant que Bérenger noue sa cravate au petit bonheur* : Vous êtes tout décoiffé ! (*Bérenger passe les doigts dans ses cheveux.*) Tenez, voici un peigne !

Il sort un peigne de l'autre poche de son veston.

BÉRENGER, *prenant le peigne* : Merci.

> *Il se peigne vaguement.*

JEAN : Vous ne vous êtes pas rasé ! Regardez la tête que vous avez.

> *Il sort une petite glace de la poche intérieure de son veston, la tend à Bérenger qui s'y examine ; en se regardant dans la glace, il tire la langue.*

BÉRENGER : J'ai la langue bien chargée.

JEAN, *reprenant la glace et la remettant dans sa poche* : Ce n'est pas étonnant !... *(Il reprend aussi le peigne que lui tend Bérenger et le remet dans sa poche.)* La cirrhose vous menace, mon ami.

BÉRENGER, *inquiet* : Vous croyez ?...

JEAN, *à Bérenger qui veut lui rendre la cravate* : Gardez la cravate, j'en ai en réserve.

BÉRENGER, *admiratif* : Vous êtes soigneux, vous.

JEAN, *continuant d'inspecter Bérenger* : Vos vêtements sont tout chiffonnés, c'est lamentable, votre chemise est d'une saleté repoussante, vos souliers... *(Bérenger essaye de cacher ses pieds sous la table.)* Vos souliers ne sont pas cirés... Quel désordre !... Vos épaules...

BÉRENGER : Qu'est-ce qu'elles ont, mes épaules ?...

JEAN : Tournez-vous. Allez, tournez-vous. Vous vous êtes appuyé contre un mur... *(Bérenger étend mollement sa main vers Jean.)* Non, je n'ai pas de brosse sur moi. Cela gonflerait les poches. *(Toujours mollement, Bérenger donne des tapes sur ses épaules pour en*

faire sortir la poussière blanche; Jean écarte la tête.) Oh!
là là… Où donc avez-vous pris cela?

BÉRENGER: Je ne m'en souviens pas.

JEAN: C'est lamentable, lamentable! J'ai honte
d'être votre ami.

BÉRENGER: Vous êtes bien sévère…

JEAN: On le serait à moins!

BÉRENGER: Écoutez, Jean. Je n'ai guère de distrac-
tions, on s'ennuie dans cette ville, je ne suis pas fait
pour le travail que j'ai… tous les jours, au bureau,
pendant huit heures, trois semaines seulement de
vacances en été! Le samedi soir, je suis plutôt fatigué,
alors, vous me comprenez, pour me détendre…

JEAN: Mon cher, tout le monde travaille et moi
aussi, moi aussi comme tout le monde, je fais tous
les jours mes huit heures de bureau, moi aussi, je
n'ai que vingt et un jours de congé par an, et pourtant, pourtant vous me voyez. De la volonté, que
diable!…

BÉRENGER: Oh! de la volonté, tout le monde n'a
pas la vôtre. Moi je ne m'y fais pas. Non, je ne m'y fais
pas, à la vie.

JEAN: Tout le monde doit s'y faire. Seriez-vous
une nature supérieure?

BÉRENGER: Je ne prétends pas…

JEAN, *interrompant*: Je vous vaux bien; et même,
sans fausse modestie, je vaux mieux que vous.
L'homme supérieur est celui qui remplit son devoir.

BÉRENGER: Quel devoir?

JEAN: Son devoir… son devoir d'employé par
exemple…

BÉRENGER: Ah, oui, son devoir d'employé…

JEAN : Où donc ont eu lieu vos libations cette nuit ? Si vous vous en souvenez !

BÉRENGER : Nous avons fêté l'anniversaire d'Auguste, notre ami Auguste...

JEAN : Notre ami Auguste ? On ne m'a pas invité, moi, pour l'anniversaire de notre ami Auguste...

> *À ce moment, on entend le bruit très éloigné, mais se rapprochant très vite, d'un souffle de fauve et de sa course précipitée, ainsi qu'un long barrissement.*

BÉRENGER : Je n'ai pas pu refuser. Cela n'aurait pas été gentil...

JEAN : Y suis-je allé, moi ?

BÉRENGER : C'est peut-être, justement, parce que vous n'avez pas été invité !...

LA SERVEUSE, *sortant du café* : Bonjour, Messieurs, que désirez-vous boire ?

> *Les bruits sont devenus très forts.*

JEAN, *à Bérenger et criant presque pour se faire entendre, au-dessus des bruits qu'il ne perçoit pas consciemment* : Non, il est vrai, je n'étais pas invité. On ne m'a pas fait cet honneur... Toutefois, je puis vous assurer que même si j'avais été invité, je ne serais pas venu, car... *(Les bruits sont devenus énormes.)* Que se passe-t-il ? *(Les bruits du galop d'un animal puissant et lourd sont tout proches, très accélérés ; on entend son halètement.)* Mais qu'est-ce que c'est ?

LA SERVEUSE : Mais qu'est-ce que c'est ?

*Bérenger, toujours indolent, sans
avoir l'air d'entendre quoi que ce
soit, répond tranquillement à Jean
au sujet de l'invitation; il remue les
lèvres; on n'entend pas ce qu'il dit;
Jean se lève d'un bond, fait tomber
sa chaise en se levant, regarde du
côté de la coulisse gauche, en montrant du doigt, tandis que Bérenger,
toujours un peu vaseux, reste assis.*

JEAN: Oh! un rhinocéros! (*Les bruits produits par
l'animal s'éloigneront à la même vitesse, si bien que l'on
peut déjà distinguer les paroles qui suivent; toute cette
scène doit être jouée très vite, répétant:*) Oh! un rhinocéros!

LA SERVEUSE: Oh! un rhinocéros!

L'ÉPICIÈRE, *qui montre sa tête par la porte de l'épicerie*: Oh! un rhinocéros! (*À son mari, resté dans la boutique:*) Viens vite voir, un rhinocéros!

*Tous suivent du regard, à gauche,
la course du fauve.*

JEAN: Il fonce droit devant lui, frôle les étalages!

L'ÉPICIER, *dans sa boutique*: Où ça?

LA SERVEUSE, *mettant les mains sur les hanches*:
Oh!

L'ÉPICIÈRE, *à son mari qui est toujours dans sa boutique*: Viens voir!

*Juste à ce moment l'Épicier
montre sa tête.*

L'ÉPICIER, *montrant sa tête*: Oh! un rhinocéros!

LE LOGICIEN, *venant vite en scène par la gauche*: Un rhinocéros, à toute allure sur le trottoir d'en face!

> *Toutes ces répliques, à partir de: «Oh! un rhinocéros!» dit par Jean, sont presque simultanées. On entend un «ah!» poussé par une femme. Elle apparaît. Elle court jusqu'au milieu du plateau; c'est la Ménagère avec son panier au bras; une fois arrivée au milieu du plateau, elle laisse tomber son panier; ses provisions se répandent sur la scène, une bouteille se brise, mais elle ne lâche pas le chat tenu sous l'autre bras.*

LA MÉNAGÈRE: Ah! Oh!

> *Le Vieux Monsieur élégant venant de la gauche, à la suite de la Ménagère, se précipite dans la boutique des épiciers, les bouscule, entre, tandis que le Logicien ira se plaquer contre le mur du fond, à gauche de l'entrée de l'épicerie. Jean et la Serveuse debout, Bérenger assis, toujours apathique, forment un autre groupe. En même temps, on a pu entendre en provenance de la gauche des «oh!», des «ah!», des*

> *pas de gens qui fuient. La poussière,*
> *soulevée par le fauve, se répand sur*
> *le plateau.*

LE PATRON, *sortant sa tête par la fenêtre à l'étage au-dessus du café*: Que se passe-t-il?
LE VIEUX MONSIEUR, *disparaissant derrière les épiciers*: Pardon!

> *Le Vieux Monsieur élégant a des*
> *guêtres blanches, un chapeau mou,*
> *une canne à pommeau d'ivoire; le*
> *Logicien est plaqué contre le mur, il*
> *a une petite moustache grise, des*
> *lorgnons, il est coiffé d'un canotier.*

L'ÉPICIÈRE, *bousculée et bousculant son mari, au Vieux Monsieur*: Attention, vous, avec votre canne!
L'ÉPICIER: Non, mais des fois, attention!

> *On verra la tête du Vieux Mon-*
> *sieur derrière les épiciers.*

LA SERVEUSE, *au Patron*: Un rhinocéros!
LE PATRON, *de sa fenêtre, à la Serveuse*: Vous rêvez! (*Voyant le rhinocéros.*) Oh! ça alors!
LA MÉNAGÈRE: Ah! (*Les «oh» et les «ah» des coulisses sont comme un arrière-fond sonore à son «ah» à elle; la Ménagère, qui a laissé tomber son panier à provisions et la bouteille, n'a donc pas laissé tomber son chat qu'elle tient sous l'autre bras.*) Pauvre minet, il a eu peur!
LE PATRON, *regardant toujours vers la gauche, suivant des yeux la course de l'animal, tandis que les bruits*

produits par celui-ci vont en décroissant: sabots, barrisse-
ments, etc. Bérenger, lui, écarte simplement un peu la
tête, à cause de la poussière, un peu endormi, sans rien
dire; il fait simplement une grimace: Ça alors!

JEAN, *écartant lui aussi un peu la tête, mais avec viva-*
cité: Ça alors!

Il éternue.

LA MÉNAGÈRE, *au milieu du plateau, mais elle s'est*
retournée vers la gauche; les provisions sont répandues
par terre autour d'elle: Ça alors!

Elle éternue.

LE VIEUX MONSIEUR, L'ÉPICIÈRE, L'ÉPICIER, *au*
fond, réouvrant la porte vitrée de l'épicerie, que le Vieux
Monsieur avait refermée derrière lui: Ça alors!

JEAN: Ça alors! (*À Bérenger.*) Vous avez vu?

> *Les bruits produits par le rhinocé-*
> *ros, son barrissement se sont bien*
> *éloignés; les gens suivent encore du*
> *regard l'animal, debout, sauf Béren-*
> *ger, toujours apathique et assis.*

TOUS, *sauf Bérenger*: Ça alors!

BÉRENGER, *à Jean*: Il me semble, oui, c'était un rhinocéros! Ça en fait de la poussière!

Il sort son mouchoir, se mouche.

LA MÉNAGÈRE: Ça alors! Ce que j'ai eu peur!

L'ÉPICIER, *à la Ménagère*: Votre panier... vos provisions...

LE VIEUX MONSIEUR, *s'approchant de la Dame et*

se baissant pour ramasser les provisions éparpillées sur le plancher. Il la salue galamment, enlevant son chapeau.

LE PATRON : Tout de même, on n'a pas idée…

LA SERVEUSE : Par exemple !…

LE VIEUX MONSIEUR, *à la Dame* : Voulez-vous me permettre de vous aider à ramasser vos provisions ?

LA DAME, *au Vieux Monsieur* : Merci, Monsieur. Couvrez-vous, je vous prie. Oh ! ce que j'ai eu peur.

LE LOGICIEN : La peur est irrationnelle. La raison doit la vaincre !

LA SERVEUSE : On ne le voit déjà plus.

LE VIEUX MONSIEUR, *à la Ménagère, montrant le Logicien* : Mon ami est logicien.

JEAN, *à Bérenger* : Qu'est-ce que vous en dites ?

LA SERVEUSE : Ça va vite ces animaux-là !

LA MÉNAGÈRE, *au Logicien* : Enchantée, Monsieur.

L'ÉPICIÈRE, *à l'Épicier* : C'est bien fait pour elle. Elle ne l'a pas acheté chez nous.

JEAN, *au Patron et à la Serveuse* : Qu'est-ce que vous en dites ?

LA MÉNAGÈRE : Je n'ai quand même pas lâché mon chat.

LE PATRON, *haussant les épaules, à la fenêtre* : On ne voit pas ça souvent !

LA MÉNAGÈRE, *au Logicien, tandis que le Vieux Monsieur ramasse les provisions* : Voulez-vous le garder un instant ?

LA SERVEUSE, *à Jean* : J'en avais jamais vu !

LE LOGICIEN, *à la Ménagère, prenant le chat dans ses bras* : Il n'est pas méchant ?

LE PATRON, *à Jean* : C'est comme une comète !

LA MÉNAGÈRE, *au Logicien*: Il est gentil comme tout. *(Aux autres.)* Mon vin, au prix où il est!

L'ÉPICIER, *à la Ménagère*: J'en ai, c'est pas ça qui manque!

JEAN, *à Bérenger*: Dites, qu'est-ce que vous en dites?

L'ÉPICIER, *à la Ménagère*: Et du bon!

LE PATRON, *à la Serveuse*: Ne perdez pas votre temps! Occupez-vous de ces Messieurs!

> *Il montre Bérenger et Jean, il rentre sa tête.*

BÉRENGER, *à Jean*: De quoi parlez-vous?

L'ÉPICIÈRE, *à l'Épicier*: Va donc lui porter une autre bouteille!

JEAN, *à Bérenger*: Du rhinocéros, voyons, du rhinocéros!

L'ÉPICIER, *à la Ménagère*: J'ai du bon vin, dans des bouteilles incassables!

> *Il disparaît dans la boutique.*

LE LOGICIEN, *caressant le chat dans ses bras*: Minet! minet! minet!

LA SERVEUSE, *à Bérenger et à Jean*: Que voulez-vous boire?

BÉRENGER, *à la Serveuse*: Deux pastis!

LA SERVEUSE: Bien, Monsieur.

> *Elle se dirige vers l'entrée du café.*

LA MÉNAGÈRE, *ramassant ses provisions, aidée par le Vieux Monsieur*: Vous êtes bien aimable, Monsieur.

LA SERVEUSE: Alors, deux pastis!

Elle entre dans le café.

LE VIEUX MONSIEUR, *à la Ménagère*: C'est la moindre des choses, chère Madame.

L'Épicière entre dans sa boutique.

LE LOGICIEN, *au Monsieur, à la Ménagère, qui sont en train de ramasser les provisions*: Remettez-les méthodiquement.

JEAN, *à Bérenger*: Alors, qu'est-ce que vous en dites?

BÉRENGER, *à Jean, ne sachant quoi dire*: Ben... rien... Ça fait de la poussière...

L'ÉPICIER, *sortant de la boutique avec une bouteille de vin, à la Ménagère*: J'ai aussi des poireaux.

LE LOGICIEN, *toujours caressant le chat dans ses bras*: Minet! minet! minet!

L'ÉPICIER, *à la Ménagère*: C'est cent francs le litre.

LA MÉNAGÈRE, *donnant l'argent à l'Épicier, puis s'adressant au Vieux Monsieur qui a réussi à tout remettre dans le panier*: Vous êtes bien aimable. Ah! la politesse française! C'est pas comme les jeunes d'aujourd'hui!

L'ÉPICIER, *prenant l'argent de la Ménagère*: Il faudra venir acheter chez nous. Vous n'aurez pas à traverser la rue. Vous ne risquerez plus les mauvaises rencontres!

Il rentre dans sa boutique.

JEAN, *qui s'est rassis et pense toujours au rhinocéros*: C'est tout de même extraordinaire!

LE VIEUX MONSIEUR, *il soulève son chapeau,*

baise la main de la Ménagère: Très heureux de vous connaître!

LA MÉNAGÈRE, *au Logicien*: Merci, Monsieur, d'avoir tenu mon chat.

> *Le Logicien rend le chat à la Ménagère. La Serveuse réapparaît avec les consommations.*

LA SERVEUSE: Voici vos pastis, Messieurs!

JEAN, *à Bérenger*: Incorrigible!

LE VIEUX MONSIEUR, *à la Ménagère*: Puis-je vous faire un bout de conduite?

BÉRENGER, *à Jean, montrant la Serveuse qui rentre de nouveau dans la boutique*: J'avais demandé de l'eau minérale. Elle s'est trompée.

> *Jean hausse les épaules, méprisant et incrédule.*

LA MÉNAGÈRE, *au Vieux Monsieur*: Mon mari m'attend, cher Monsieur. Merci. Ce sera pour une autre fois!

LE VIEUX MONSIEUR, *à la Ménagère*: Je l'espère de tout mon cœur, chère Madame.

LA MÉNAGÈRE, *au Vieux Monsieur*: Moi aussi!

> *Yeux doux, puis elle sort par la gauche.*

BÉRENGER: Il n'y a plus de poussière...

> *Jean hausse de nouveau les épaules.*

LE VIEUX MONSIEUR, *au Logicien, suivant du regard la Ménagère*: Délicieuse!...

JEAN, *à Bérenger*: Un rhinocéros! Je n'en reviens pas!

> *Le Vieux Monsieur et le Logicien se dirigent vers la droite, doucement, par où ils vont sortir. Ils devisent tranquillement.*

LE VIEUX MONSIEUR, *au Logicien, après avoir jeté un dernier coup d'œil en direction de la Ménagère*: Charmante, n'est-ce pas?

LE LOGICIEN, *au Vieux Monsieur*: Je vais vous expliquer le syllogisme.

LE VIEUX MONSIEUR: Ah! oui, le syllogisme!

JEAN, *à Bérenger*: Je n'en reviens pas! C'est inadmissible.

> *Bérenger bâille.*

LE LOGICIEN, *au Vieux Monsieur*: Le syllogisme comprend la proposition principale, la secondaire et la conclusion.

LE VIEUX MONSIEUR: Quelle conclusion?

> *Le Logicien et Le Vieux Monsieur sortent.*

JEAN: Non, je n'en reviens pas.

BÉRENGER, *à Jean*: Ça se voit que vous n'en revenez pas. C'était un rhinocéros, eh bien, oui, c'était un rhinocéros! Il est loin… il est loin…

JEAN: Mais voyons, voyons… C'est inouï! Un rhinocéros en liberté dans la ville, cela ne vous surprend pas? On ne devrait pas le permettre! *(Bérenger bâille.)* Mettez donc la main devant votre bouche!…

BÉRENGER : Ouais… ouais… On ne devrait pas le permettre. C'est dangereux. je n'y avais pas pensé. Ne vous en faites pas, nous sommes hors d'atteinte.

JEAN : Nous devrions protester auprès des autorités municipales ! À quoi sont-elles bonnes les autorités municipales ?

BÉRENGER, *bâillant, puis mettant vivement la main à sa bouche* : Oh ! pardon… Peut-être que le rhinocéros s'est-il échappé du jardin zoologique !

JEAN : Vous rêvez debout !

BÉRENGER : Je suis assis.

JEAN : Assis ou debout, c'est la même chose.

BÉRENGER : Il y a tout de même une différence.

JEAN : Il ne s'agit pas de cela.

BÉRENGER : C'est vous qui venez de dire que c'est la même chose, d'être assis ou debout…

JEAN : Vous avez mal compris. Assis ou debout, c'est la même chose, quand on rêve !…

BÉRENGER : Eh oui, je rêve… La vie est un rêve.

JEAN, *continuant* : Vous rêvez quand vous dites que le rhinocéros s'est échappé du jardin zoologique…

BÉRENGER : J'ai dit : peut-être…

JEAN, *continuant* : … car il n'y a plus de jardin zoologique dans notre ville depuis que les animaux ont été décimés par la peste… il y a fort longtemps…

BÉRENGER, *même indifférence* : Alors, peut-être vient-il du cirque ?

JEAN : De quel cirque parlez-vous ?

BÉRENGER : Je ne sais pas… un cirque ambulant.

JEAN : Vous savez bien que la mairie a interdit aux nomades de séjourner sur le territoire de la commune… Il n'en passe plus depuis notre enfance.

BÉRENGER, *s'empêchant de bâiller et n'y arrivant pas* : Dans ce cas, peut-être était-il depuis lors resté caché dans les bois marécageux des alentours ?

JEAN, *levant les bras au ciel* : Les bois marécageux des alentours ! Les bois marécageux des alentours ! Mon pauvre ami, vous êtes tout à fait dans les brumes épaisses de l'alcool.

BÉRENGER, *naïf* : Ça c'est vrai... elles montent de l'estomac...

JEAN : Elles vous enveloppent le cerveau. Où connaissez-vous des bois marécageux dans les alentours ?... Notre province est surnommée « *La petite Castille* » tellement elle est désertique !

BÉRENGER, *excédé et assez fatigué* : Que sais-je alors ? Peut-être s'est-il abrité sous un caillou ?... Peut-être a-t-il fait son nid sur une branche desséchée ?...

JEAN : Si vous vous croyez spirituel, vous vous trompez, sachez-le ! Vous êtes ennuyeux avec... avec vos paradoxes ! Je vous tiens pour incapable de parler sérieusement !

BÉRENGER : Aujourd'hui, aujourd'hui seulement... À cause de... parce que je...

> *Il montre sa tête d'un geste vague.*

JEAN : Aujourd'hui, autant que d'habitude !

BÉRENGER : Pas autant, tout de même.

JEAN : Vos mots d'esprit ne valent rien !

BÉRENGER : Je ne prétends nullement...

JEAN, *l'interrompant* : Je déteste qu'on se paie ma tête !

BÉRENGER, *la main sur le cœur*: Je ne me permettrais jamais, mon cher Jean…

JEAN, *l'interrompant*: Mon cher Bérenger, vous vous le permettez…

BÉRENGER: Non, ça non, je ne me le permets pas.

JEAN: Si, vous venez de vous le permettre!

BÉRENGER: Comment pouvez-vous penser…?

JEAN, *l'interrompant*: Je pense ce qui est!

BÉRENGER: Je vous assure…

JEAN, *l'interrompant*: … Que vous vous payez ma tête!

BÉRENGER: Vraiment, vous êtes têtu.

JEAN: Vous me traitez de bourrique, par-dessus le marché. Vous voyez bien, vous m'insultez.

BÉRENGER: Cela ne peut pas me venir à l'esprit.

JEAN: Vous n'avez pas d'esprit!

BÉRENGER: Raison de plus pour que cela ne me vienne pas à l'esprit.

JEAN: Il y a des choses qui viennent à l'esprit même de ceux qui n'en ont pas.

BÉRENGER: Cela est impossible.

JEAN: Pourquoi cela est-il impossible?

BÉRENGER: Parce que c'est impossible.

JEAN: Expliquez-moi pourquoi cela est impossible, puisque vous prétendez être en mesure de tout expliquer…

BÉRENGER: Je n'ai jamais prétendu une chose pareille.

JEAN: Alors, pourquoi vous en donnez-vous l'air! Et, encore une fois, pourquoi m'insultez-vous?

BÉRENGER: Je ne vous insulte pas. Au contraire. Vous savez à quel point je vous estime.

JEAN : Si vous m'estimez, pourquoi me contre-disez-vous en prétendant qu'il n'est pas dangereux de laisser courir un rhinocéros en plein centre de la ville, surtout un dimanche matin, quand les rues sont pleines d'enfants… et aussi d'adultes…

BÉRENGER : Beaucoup sont à la messe. Ceux-là ne risquent rien…

JEAN, *l'interrompant* : Permettez… à l'heure du marché, encore.

BÉRENGER : Je n'ai jamais affirmé qu'il n'était pas dangereux de laisser courir un rhinocéros dans la ville. J'ai dit tout simplement que je n'avais pas réfléchi à ce danger. Je ne me suis pas posé la question.

JEAN : Vous ne réfléchissez jamais à rien !

BÉRENGER : Bon, d'accord. Un rhinocéros en liberté, ça n'est pas bien.

JEAN : Cela ne devrait pas exister.

BÉRENGER : C'est entendu. Cela ne devrait pas exister. C'est même une chose insensée. Bien. Pourtant, ce n'est pas une raison de vous quereller avec moi pour ce fauve. Quelle histoire me cherchez-vous à cause d'un quelconque périssodactyle qui vient de passer tout à fait par hasard, devant nous ? Un quadrupède stupide qui ne mérite même plus qu'on en parle ! Et féroce en plus… Et qui a disparu aussi, qui n'existe plus. On ne va pas se préoccuper d'un animal qui n'existe pas. Parlons d'autre chose, mon cher Jean, parlons d'autre chose, les sujets de conversation ne manquent pas… *(Il bâille, il prend son verre.)* À votre santé !

À ce moment, le Logicien et le Vieux Monsieur entrent de nouveau,

> *par la droite ; ils iront s'installer, tout en parlant, à une des tables de la terrasse du café, assez loin de Bérenger et de Jean, en arrière et à droite de ceux-ci.*

JEAN : Laissez ce verre sur la table. Ne le buvez pas.

> *Jean boit une grande gorgée de son pastis et pose le verre à moitié vide sur la table. Bérenger continue de tenir son verre dans la main, sans le poser, sans oser le boire non plus.*

BÉRENGER : Je ne vais tout de même pas le laisser au patron !

> *Il fait mine de vouloir boire.*

JEAN : Laissez-le, je vous dis.

BÉRENGER : Bon. (*Il veut remettre le verre sur la table. À ce moment passe Daisy, jeune dame blonde, qui traverse le plateau, de droite à gauche. En apercevant Daisy, Bérenger se lève brusquement et, en se levant, il fait un geste maladroit ; le verre tombe et mouille le pantalon de Jean.*) Oh ! Daisy.

JEAN : Attention ! Que vous êtes maladroit.

BÉRENGER : C'est Daisy… excusez-moi… (*Il va se cacher, pour ne pas être vu par Daisy.*) Je ne veux pas qu'elle me voie… dans l'état où je suis.

JEAN : Vous êtes impardonnable, absolument impardonnable ! (*Il regarde vers Daisy qui disparaît.*) Cette jeune fille vous effraye ?

BÉRENGER : Taisez-vous, taisez-vous.

JEAN : Elle n'a pas l'air méchant, pourtant !

BÉRENGER, *revenant vers Jean une fois que Daisy a disparu* : Excusez-moi, encore une fois, pour…

JEAN : Voilà ce que c'est de boire, vous n'êtes plus maître de vos mouvements, vous n'avez plus de force dans les mains, vous êtes ahuri, esquinté. Vous creusez votre propre tombe, mon cher ami. Vous vous perdez.

BÉRENGER : Je n'aime pas tellement l'alcool. Et pourtant si je ne bois pas, ça ne va pas. C'est comme si j'avais peur, alors je bois pour ne plus avoir peur.

JEAN : Peur de quoi ?

BÉRENGER : Je ne sais pas trop. Des angoisses difficiles à définir. Je me sens mal à l'aise dans l'existence, parmi les gens, alors je prends un verre. Cela me calme, cela me détend, j'oublie.

JEAN : Vous vous oubliez !

BÉRENGER : Je suis fatigué, depuis des années fatigué. J'ai du mal à porter le poids de mon propre corps…

JEAN : C'est de la neurasthénie alcoolique, la mélancolie du buveur de vin…

BÉRENGER, *continuant* : Je sens à chaque instant mon corps, comme s'il était de plomb, ou comme si je portais un autre homme sur le dos. Je ne me suis pas habitué à moi-même. Je ne sais pas si je suis moi. Dès que je bois un peu, le fardeau disparaît, et je me reconnais, je deviens moi.

JEAN : Des élucubrations ! Bérenger, regardez-moi. Je pèse plus que vous. Pourtant, je me sens léger, léger, léger !

> *Il bouge ses bras comme s'il allait s'envoler. Le Vieux Monsieur et Le Logicien qui sont de nouveau entrés sur le plateau ont fait quelques pas sur la scène en devisant. Juste à ce moment, ils passent à côté de Jean et de Bérenger. Un bras de Jean heurte très fort le Vieux Monsieur qui bascule dans les bras du Logicien.*

LE LOGICIEN, *continuant la discussion*: Un exemple de syllogisme… *(Il est heurté.)* Oh!…

LE VIEUX MONSIEUR, *à Jean*: Attention. *(Au Logicien.)* Pardon.

JEAN, *au Vieux Monsieur*: Pardon.

LE LOGICIEN, *au Vieux Monsieur*: Il n'y a pas de mal.

LE VIEUX MONSIEUR, *à Jean*. Il n'y a pas de mal.

> *Le Vieux Monsieur et le Logicien vont s'asseoir à l'une des tables de la terrasse, un peu à droite et derrière Jean et Bérenger.*

BÉRENGER, *à Jean*: Vous avez de la force.

JEAN: Oui, j'ai de la force, j'ai de la force pour plusieurs raisons. D'abord, j'ai de la force parce que j'ai de la force, ensuite j'ai de la force parce que j'ai de la force morale. J'ai aussi de la force parce que je ne suis pas alcoolisé. Je ne veux pas vous vexer, mon cher ami, mais je dois vous dire que c'est l'alcool qui pèse en réalité.

LE LOGICIEN, *au Vieux Monsieur*: Voici donc un syllogisme exemplaire. Le chat a quatre pattes. Isidore et Fricot ont chacun quatre pattes. Donc Isidore et Fricot sont chats.

LE VIEUX MONSIEUR, *au Logicien*: Mon chien aussi a quatre pattes.

LE LOGICIEN, *au Vieux Monsieur*: Alors, c'est un chat.

BÉRENGER, *à Jean*: Moi, j'ai à peine la force de vivre. Je n'en ai plus envie peut-être.

LE VIEUX MONSIEUR, *au Logicien après avoir longuement réfléchi*: Donc, logiquement, mon chien serait un chat.

LE LOGICIEN, *au Vieux Monsieur*: Logiquement, oui. Mais le contraire est aussi vrai.

BÉRENGER, *à Jean*: La solitude me pèse. La société aussi.

JEAN, *à Bérenger*: Vous vous contredisez. Est-ce la solitude qui pèse, ou est-ce la multitude ? Vous vous prenez pour un penseur et vous n'avez aucune logique.

LE VIEUX MONSIEUR, *au Logicien*: C'est très beau, la logique.

LE LOGICIEN, *au Vieux Monsieur*: À condition de ne pas en abuser.

BÉRENGER, *à Jean*: C'est une chose anormale de vivre.

JEAN: Au contraire. Rien de plus naturel. La preuve: tout le monde vit.

BÉRENGER: Les morts sont plus nombreux que les vivants. Leur nombre augmente. Les vivants sont rares.

JEAN: Les morts, ça n'existe pas, c'est le cas de

le dire !... Ah ! ah !... *(Gros rire.)* Ceux-là aussi vous pèsent ? Comment peuvent peser des choses qui n'existent pas ?

BÉRENGER : Je me demande moi-même si j'existe !

JEAN, *à Bérenger* : Vous n'existez pas, mon cher, parce que vous ne pensez pas ! Pensez, et vous serez.

LE LOGICIEN, *au Vieux Monsieur* : Autre syllogisme : tous les chats sont mortels. Socrate est mortel. Donc Socrate est un chat.

LE VIEUX MONSIEUR : Et il a quatre pattes. C'est vrai, j'ai un chat qui s'appelle Socrate.

LE LOGICIEN : Vous voyez...

JEAN, *à Bérenger* : Vous êtes un farceur, dans le fond. Un menteur. Vous dites que la vie ne vous intéresse pas. Quelqu'un, cependant, vous intéresse !

BÉRENGER : Qui ?

JEAN : Votre petite camarade de bureau, qui vient de passer. Vous en êtes amoureux !

LE VIEUX MONSIEUR, *au Logicien* : Socrate était donc un chat !

LE LOGICIEN, *au Vieux Monsieur* : La logique vient de nous le révéler.

JEAN, *à Bérenger* : Vous ne vouliez pas qu'elle vous voie dans le triste état où vous vous trouviez. *(Geste de Bérenger.)* Cela prouve que tout ne vous est pas indifférent. Mais comment voulez-vous que Daisy soit séduite par un ivrogne ?

LE LOGICIEN, *au Vieux Monsieur* : Revenons à nos chats.

LE VIEUX MONSIEUR, *au Logicien* : Je vous écoute.

BÉRENGER, *à Jean* : De toute façon, je crois qu'elle a déjà quelqu'un en vue.

JEAN, *à Bérenger*: Qui donc?

BÉRENGER: Dudard. Un collègue de bureau: licencié en droit, juriste, grand avenir dans la maison, de l'avenir dans le cœur de Daisy; je ne peux pas rivaliser avec lui.

LE LOGICIEN, *au Vieux Monsieur*: Le chat Isidore a quatre pattes.

LE VIEUX MONSIEUR: Comment le savez-vous?

LE LOGICIEN: C'est donné par hypothèse.

BÉRENGER, *à Jean*: Il est bien vu par le chef. Moi, je n'ai pas d'avenir, pas fait d'études, je n'ai aucune chance.

LE VIEUX MONSIEUR, *au Logicien*: Ah! par hypothèse!

JEAN, *à Bérenger*: Et vous renoncez, comme cela...

BÉRENGER, *à Jean*: Que pourrais-je faire?

LE LOGICIEN, *au Vieux Monsieur*: Fricot aussi a quatre pattes. Combien de pattes auront Fricot et Isidore?

LE VIEUX MONSIEUR, *au Logicien*: Ensemble ou séparément?

JEAN, *à Bérenger*: La vie est une lutte, c'est lâche de ne pas combattre!

LE LOGICIEN, *au Vieux Monsieur*: Ensemble, ou séparément, c'est selon.

BÉRENGER, *à Jean*: Que voulez-vous, je suis désarmé.

JEAN: Armez-vous, mon cher, armez-vous.

LE VIEUX MONSIEUR, *au Logicien, après avoir péniblement réfléchi*: Huit, huit pattes.

LE LOGICIEN: La logique mène au calcul mental.

LE VIEUX MONSIEUR: Elle a beaucoup de facettes!

BÉRENGER, *à Jean*: Où trouver les armes?

LE LOGICIEN, *au Vieux Monsieur*: La logique n'a pas de limites!

JEAN: En vous-même. Par votre volonté.

BÉRENGER, *à Jean*: Quelles armes?

LE LOGICIEN, *au Vieux Monsieur*: Vous allez voir...

JEAN, *à Bérenger*: Les armes de la patience, de la culture, les armes de l'intelligence. *(Bérenger bâille.)* Devenez un esprit vif et brillant. Mettez-vous à la page.

BÉRENGER, *à Jean*: Comment se mettre à la page?

LE LOGICIEN, *au Vieux Monsieur*: J'enlève deux pattes à ces chats. Combien leur en restera-t-il à chacun?

LE VIEUX MONSIEUR: C'est compliqué.

BÉRENGER, *à Jean*: C'est compliqué.

LE LOGICIEN, *au Vieux Monsieur*: C'est simple au contraire.

LE VIEUX MONSIEUR, *au Logicien*: C'est facile pour vous, peut-être, pas pour moi.

BÉRENGER, *à Jean*: C'est facile pour vous, peut-être, pas pour moi.

LE LOGICIEN, *au Vieux Monsieur*: Faites un effort de pensée, voyons. Appliquez-vous.

JEAN, *à Bérenger*: Faites un effort de pensée, voyons. Appliquez-vous.

LE VIEUX MONSIEUR, *au Logicien*: Je ne vois pas.

BÉRENGER, *à Jean*: Je ne vois vraiment pas.

LE LOGICIEN, *au Vieux Monsieur*: On doit tout vous dire.

JEAN, *à Bérenger*: On doit tout vous dire.

LE LOGICIEN, *au Vieux Monsieur*: Prenez une

feuille de papier, calculez. On enlève six pattes aux deux chats, combien de pattes restera-t-il à chaque chat?

LE VIEUX MONSIEUR: Attendez…

> *Il calcule sur une feuille de papier qu'il tire de sa poche.*

JEAN: Voilà ce qu'il faut faire: vous vous habillez correctement, vous vous rasez tous les jours, vous mettez une chemise propre.

BÉRENGER, *à Jean*: C'est cher, le blanchissage…

JEAN, *à Bérenger*: Économisez sur l'alcool. Ceci, pour l'extérieur: chapeau, cravate comme celle-ci, costume élégant, chaussures bien cirées.

> *En parlant des éléments vestimentaires, Jean montre avec fatuité son propre chapeau, sa propre cravate, ses propres souliers.*

LE VIEUX MONSIEUR, *au Logicien*: Il y a plusieurs solutions possibles.

LE LOGICIEN, *au Vieux Monsieur*: Dites.

BÉRENGER, *à Jean*: Ensuite, que faire? Dites…

LE LOGICIEN, *au Vieux Monsieur*: Je vous écoute.

BÉRENGER, *à Jean*: Je vous écoute.

JEAN, *à Bérenger*: Vous êtes timide, mais vous avez des dons.

BÉRENGER, *à Jean*: Moi, j'ai des dons?

JEAN: Mettez-les en valeur. Il faut être dans le coup. Soyez au courant des événements littéraires et culturels de notre époque.

LE VIEUX MONSIEUR, *au Logicien*: Une première

possibilité : un chat peut avoir quatre pattes, l'autre deux.

BÉRENGER, *à Jean* : J'ai si peu de temps libre.

LE LOGICIEN : Vous avez des dons, il suffisait de les mettre en valeur.

JEAN : Le peu de temps libre que vous avez, mettez-le donc à profit. Ne vous laissez pas aller à la dérive.

LE VIEUX MONSIEUR : Je n'ai guère eu le temps. J'ai été fonctionnaire.

LE LOGICIEN, *au Vieux Monsieur* : On trouve toujours le temps de s'instruire.

JEAN, *à Bérenger* : On a toujours le temps.

BÉRENGER, *à Jean* : C'est trop tard.

LE VIEUX MONSIEUR, *au Logicien* : C'est un peu tard, pour moi.

JEAN, *à Bérenger* : Il n'est jamais trop tard.

LE LOGICIEN, *au Vieux Monsieur* : Il n'est jamais trop tard.

JEAN, *à Bérenger* : Vous avez huit heures de travail, comme moi, comme tout le monde, mais le dimanche, mais le soir, mais les trois semaines de vacances en été ? Cela suffit, avec de la méthode.

LE LOGICIEN, *au Vieux Monsieur* : Alors, les autres solutions ? Avec méthode, avec méthode...

> *Le Vieux Monsieur se met à calculer de nouveau.*

JEAN, *à Bérenger* : Tenez, au lieu de boire et d'être malade, ne vaut-il pas mieux être frais et dispos, même au bureau ? Et vous pouvez passer vos moments disponibles d'une façon intelligente.

BÉRENGER, *à Jean*: C'est-à-dire?...

JEAN, *à Bérenger*: Visitez les musées, lisez des revues littéraires, allez entendre des conférences. Cela vous sortira de vos angoisses, cela vous formera l'esprit. En quatre semaines, vous êtes un homme cultivé.

BÉRENGER, *à Jean*: Vous avez raison!

LE VIEUX MONSIEUR, *au Logicien*: Il peut y avoir un chat à cinq pattes...

JEAN, *à Bérenger*: Vous le dites vous-même.

LE VIEUX MONSIEUR, *au Logicien*: Et un autre chat à une patte. Mais alors seront-ils toujours des chats?

LE LOGICIEN, *au Vieux Monsieur*: Pourquoi pas?

JEAN, *à Bérenger*: Au lieu de dépenser tout votre argent disponible en spiritueux, n'est-il pas préférable d'acheter des billets de théâtre pour voir un spectacle intéressant? Connaissez-vous le théâtre d'avant-garde, dont on parle tant? Avez-vous vu les pièces de Ionesco?

BÉRENGER, *à Jean*: Non, hélas! J'en ai entendu parler seulement.

LE VIEUX MONSIEUR, *au Logicien*: En enlevant les deux pattes sur huit, des deux chats...

JEAN, *à Bérenger*: Il en passe une, en ce moment. Profitez-en.

LE VIEUX MONSIEUR: Nous pouvons avoir un chat à six pattes.

BÉRENGER: Ce sera une excellente initiation à la vie artistique de notre temps.

LE VIEUX MONSIEUR, *au Logicien*: Et un chat, sans pattes du tout.

BÉRENGER: Vous avez raison, vous avez raison. Je vais me mettre à la page, comme vous dites.

LE LOGICIEN, *au Vieux Monsieur*: Dans ce cas, il y aurait un chat privilégié.

BÉRENGER, *à Jean*: Je vous le promets.

JEAN: Promettez-le-vous à vous-mêmes, surtout.

LE VIEUX MONSIEUR: Et un chat aliéné de toutes ses pattes, déclassé?

BÉRENGER: Je me le promets solennellement. Je tiendrai parole à moi-même.

LE LOGICIEN: Cela ne serait pas juste. Donc ce ne serait pas logique.

BÉRENGER, *à Jean*: Au lieu de boire, je décide de cultiver mon esprit. Je me sens déjà mieux. J'ai déjà la tête plus claire.

JEAN: Vous voyez bien!

LE VIEUX MONSIEUR, *au Logicien*: Pas logique?

BÉRENGER: Dès cet après-midi, j'irai au musée municipal. Pour ce soir, j'achète deux places au théâtre. M'accompagnez-vous?

LE LOGICIEN, *au Vieux Monsieur*: Car la justice, c'est la logique.

JEAN, *à Bérenger*: Il faudra persévérer. Il faut que vos bonnes intentions durent.

LE VIEUX MONSIEUR, *au Logicien*: Je saisis. La justice...

BÉRENGER, *à Jean*: Je vous le promets, je me le promets. M'accompagnez-vous au musée cet après-midi?

JEAN, *à Bérenger*: Cet après-midi, je fais la sieste, c'est dans mon programme.

LE VIEUX MONSIEUR, *au Logicien*: La justice, c'est encore une facette de la logique.

BÉRENGER, *à Jean*: Mais vous voulez bien venir avec moi ce soir au théâtre?

JEAN : Non, pas ce soir.

LE LOGICIEN, *au Vieux Monsieur* : Votre esprit s'éclaire !

JEAN, *à Bérenger* : Je souhaite que vous persévériez dans vos bonnes intentions. Mais, ce soir, je dois rencontrer des amis à la brasserie.

BÉRENGER : À la brasserie ?

LE VIEUX MONSIEUR, *au Logicien* : D'ailleurs, un chat sans pattes du tout...

JEAN, *à Bérenger* : J'ai promis d'y aller. Je tiens mes promesses.

LE VIEUX MONSIEUR, *au Logicien* : ... ne pourrait plus courir assez vite pour attraper les souris.

BÉRENGER, *à Jean* : Ah ! mon cher, c'est à votre tour de donner le mauvais exemple ! Vous allez vous enivrer.

LE LOGICIEN, *au Vieux Monsieur* : Vous faites déjà des progrès en logique !

> *On commence de nouveau à entendre, se rapprochant toujours très vite, un galop rapide, un barrissement, les bruits précipités des sabots d'un rhinocéros, son souffle bruyant, mais cette fois, en sens inverse, du fond de la scène vers le devant, toujours en coulisse, à gauche.*

JEAN, *furieux, à Bérenger* : Mon cher ami, une fois n'est pas coutume. Aucun rapport avec vous. Car vous... vous... ce n'est pas la même chose...

BÉRENGER, *à Jean* : Pourquoi ne serait-ce pas la même chose ?

JEAN, *criant pour dominer le bruit venant de la boutique*: Je ne suis pas un ivrogne, moi!

LE LOGICIEN, *au Vieux Monsieur*: Même sans pattes, le chat doit attraper les souris. C'est dans sa nature.

BÉRENGER, *criant très fort*: Je ne veux pas dire que vous êtes un ivrogne. Mais pourquoi le serais-je, moi, plus que vous, dans un cas semblable?

LE VIEUX MONSIEUR, *criant au Logicien*: Qu'est-ce qui est dans la nature du chat?

JEAN, *à Bérenger; même jeu*: Parce que tout est affaire de mesure. Contrairement à vous, je suis un homme mesuré.

LE LOGICIEN, *au Vieux Monsieur, mains en cornet à l'oreille*: Qu'est-ce que vous dites?

> *Grands bruits couvrant les paroles des quatre personnages.*

BÉRENGER, *mains en cornet à l'oreille, à Jean*: Tandis que moi, quoi, qu'est-ce que vous dites?

JEAN, *hurlant*: Je dis que...

LE VIEUX MONSIEUR, *hurlant*: Je dis que...

JEAN, *prenant conscience des bruits qui sont très proches*: Mais que se passe-t-il?

LE LOGICIEN: Mais qu'est-ce que c'est?

JEAN *se lève, fait tomber sa chaise en se levant, regarde vers la coulisse gauche d'où proviennent les bruits d'un rhinocéros passant en sens inverse*: Oh! un rhinocéros!

LE LOGICIEN *se lève, fait tomber sa chaise*: Oh! un rhinocéros!

LE VIEUX MONSIEUR, *même jeu*: Oh! un rhinocéros!

BÉRENGER, *toujours assis, mais plus réveillé cette fois*: Rhinocéros! En sens inverse.

LA SERVEUSE, *sortant avec un plateau et des verres*:
Qu'est-ce que c'est? Oh! un rhinocéros!

> *Elle laisse tomber le plateau; les
> verres se brisent.*

LE PATRON, *sortant de la boutique*: Qu'est-ce que
c'est?

LA SERVEUSE, *au Patron*: Un rhinocéros!

LE LOGICIEN: Un rhinocéros, à toute allure sur le
trottoir d'en face!

L'ÉPICIER, *sortant de la boutique*: Oh! un rhinocéros!

JEAN: Oh! un rhinocéros!

L'ÉPICIÈRE, *sortant la tête par la fenêtre, au-dessus de
la boutique*: Oh! un rhinocéros!

LE PATRON, *à la Serveuse*: Ce n'est pas une raison
pour casser les verres.

JEAN: Il fonce droit devant lui, frôle les étalages.

DAISY, *venant de la gauche*: Oh! un rhinocéros!

BÉRENGER, *apercevant Daisy*: Oh! Daisy!

> *On entend des pas précipités qui
> fuient, des oh! des ah! comme tout
> à l'heure.*

LA SERVEUSE: Ça alors!

LE PATRON, *à la Serveuse*: Vous me la payerez, la
casse!

> *Bérenger essaie de se dissimuler,
> pour ne pas être vu par Daisy. Le
> Vieux Monsieur, le Logicien, l'Épi-
> cière, l'Épicier se dirigent vers le
> milieu du plateau et disent:*

ENSEMBLE: Ça alors!
JEAN et BÉRENGER: Ça alors!

> *On entend un miaulement déchirant, puis le cri, tout aussi déchirant, d'une femme.*

TOUS: Oh!

> *Presque au même instant, et tandis que les bruits s'éloignent rapidement, apparaît la Ménagère de tout à l'heure, sans son panier, mais tenant dans ses bras un chat tué et ensanglanté.*

LA MÉNAGÈRE, *se lamentant*: Il a écrasé mon chat, il a écrasé mon chat!

LA SERVEUSE: Il a écrasé son chat!

> *L'Épicier, l'Épicière, à la fenêtre, le Vieux Monsieur, Daisy, le Logicien entourent la Ménagère, ils disent:*

ENSEMBLE: Si c'est pas malheureux, pauvre petite bête!

LE VIEUX MONSIEUR: Pauvre petite bête!

DAISY et LA SERVEUSE: Pauvre petite bête!

L'ÉPICIER, L'ÉPICIÈRE, *à la fenêtre*, LE VIEUX MONSIEUR, LE LOGICIEN: Pauvre petite bête!

LE PATRON, *à la Serveuse, montrant les verres brisés, les chaises renversées*: Que faites-vous donc? Ramassez-moi cela!

> *À leur tour Jean et Bérenger se précipitent, entourent la Ménagère*

qui se lamente toujours, le chat
mort dans ses bras.

LA SERVEUSE, *se dirigeant vers la terrasse du café
pour ramasser les débris de verres et les chaises renversées, tout en regardant en arrière, vers la Ménagère*:
Oh! pauvre petite bête!

LE PATRON, *indiquant du doigt, à la Serveuse, les
chaises et les verres brisés*: Là, là!

LE VIEUX MONSIEUR, *à l'Épicier*: Qu'est-ce que
vous en dites?

BÉRENGER, *à la Ménagère*: Ne pleurez pas,
Madame, vous nous fendez le cœur!

DAISY, *à Bérenger*: Monsieur Bérenger... Vous
étiez là? Vous avez vu?

BÉRENGER, *à Daisy*: Bonjour, mademoiselle Daisy,
je n'ai pas eu le temps de me raser, excusez-moi de...

LE PATRON, *contrôlant le ramassage des débris puis
jetant un coup d'œil vers la Ménagère*: Pauvre petite
bête!

LA SERVEUSE, *ramassant les débris, le dos tourné à la
Ménagère*: Pauvre petite bête!

*Évidemment, toutes ces répliques
doivent être dites très rapidement,
presque simultanément.*

L'ÉPICIÈRE, *à la fenêtre*: Ça, c'est trop fort!

JEAN: Ça, c'est trop fort!

LA MÉNAGÈRE, *se lamentant et berçant le chat mort
dans ses bras*: Mon pauvre Mitsou, mon pauvre Mitsou!

LE VIEUX MONSIEUR, *à la Ménagère*: J'aurais aimé
vous revoir en d'autres circonstances!

LE LOGICIEN, *à la Ménagère* : Que voulez-vous, Madame, tous les chats sont mortels ! Il faut se résigner.

LA MÉNAGÈRE, *se lamentant* : Mon chat, mon chat, mon chat !

LE PATRON, *à la Serveuse, qui a le tablier plein de brisures de verre* : Allez, portez cela à la poubelle ! *(Il a relevé les chaises.)* Vous me devez mille francs !

LA SERVEUSE, *rentrant dans la boutique, au Patron* : Vous ne pensez qu'à vos sous.

L'ÉPICIÈRE, *à la Ménagère, de la fenêtre* : Calmez-vous, Madame.

LE VIEUX MONSIEUR, *à la Ménagère* : Calmez-vous, chère Madame.

L'ÉPICIÈRE, *de la fenêtre* : Ça fait de la peine, quand même !

LA MÉNAGÈRE : Mon chat ! mon chat ! mon chat !

DAISY : Ah ! oui, ça fait de la peine quand même.

LE VIEUX MONSIEUR, *soutenant la Ménagère et se dirigeant avec elle à une table de la terrasse ; il est suivi de tous les autres* : Asseyez-vous là, Madame.

JEAN, *au Vieux Monsieur* : Qu'est-ce que vous en dites ?

L'ÉPICIER, *au Logicien* : Qu'est-ce que vous en dites ?

L'ÉPICIÈRE, *à Daisy, de la fenêtre* : Qu'est-ce que vous en dites ?

LE PATRON, *à la Serveuse qui réapparaît, tandis qu'on fait asseoir, à une des tables de la terrasse, la Ménagère en larmes, berçant toujours le chat mort* : Un verre d'eau pour Madame.

LE VIEUX MONSIEUR, *à la Dame* : Asseyez-vous, chère Madame !

JEAN : Pauvre femme !

L'ÉPICIÈRE, *de la fenêtre* : Pauvre bête !

BÉRENGER, *à la Serveuse* : Apportez-lui un cognac plutôt.

LE PATRON, *à la Serveuse* : Un cognac ! *(Montrant Bérenger.)* C'est Monsieur qui paye !

> *La Serveuse entre dans la boutique en disant :*

LA SERVEUSE : Entendu, un cognac !

LA MÉNAGÈRE, *sanglotant* : Je n'en veux pas, je n'en veux pas !

L'ÉPICIER : Il est déjà passé tout à l'heure devant la boutique.

JEAN, *à l'Épicier* : Ça n'était pas le même !

L'ÉPICIER, *à Jean* : Pourtant…

L'ÉPICIÈRE : Oh ! si, c'était le même.

DAISY : C'est la deuxième fois qu'il en passe ?

LE PATRON : Je crois que c'était le même.

JEAN : Non, ce n'était pas le même rhinocéros. Celui de tout à l'heure avait deux cornes sur le nez, c'était un rhinocéros d'Asie ; celui-ci n'en avait qu'une, c'était un rhinocéros d'Afrique !

> *La Serveuse sort avec un verre de cognac, le porte à la Dame.*

LE VIEUX MONSIEUR : Voilà du cognac pour vous remonter.

LA MÉNAGÈRE, *en larmes* : Noon…

BÉRENGER, *soudain énervé, à Jean* : Vous dites des sottises !… Comment avez-vous pu distinguer les cornes ! Le fauve est passé à une telle vitesse, à peine avons-nous pu l'apercevoir.

DAISY, *à la Ménagère* : Mais si, ça vous fera du bien.

LE VIEUX MONSIEUR, *à Bérenger* : En effet, il allait vite.

LE PATRON, *à la Ménagère* : Goûtez-y, il est bon.

BÉRENGER, *à Jean* : Vous n'avez pas eu le temps de compter ses cornes…

L'ÉPICIÈRE, *à la Serveuse, de sa fenêtre* : Faites-la boire.

BÉRENGER, *à Jean* : En plus, il était enveloppé d'un nuage de poussière…

DAISY, *à la Ménagère* : Buvez, madame.

LE VIEUX MONSIEUR, *à la même* : Un petit coup, ma chère petite Dame… courage…

> *La Serveuse fait boire la Ména-*
> *gère, en portant le verre à ses lèvres ;*
> *celle-ci fait mine de refuser, et boit*
> *quand même.*

LA SERVEUSE : Voilà !

L'ÉPICIÈRE, *de sa fenêtre, et* DAISY : Voilà !

JEAN, *à Bérenger* : Moi, je ne suis pas dans le brouillard. Je calcule vite, j'ai l'esprit clair !

LE VIEUX MONSIEUR, *à la Ménagère* : Ça va mieux ?

BÉRENGER, *à Jean* : Il fonçait tête baissée, voyons.

LE PATRON, *à la Ménagère* : N'est-ce pas qu'il est bon !

JEAN, *à Bérenger* : Justement, on voyait mieux.

LA MÉNAGÈRE, *après avoir bu* : Mon chat !

BÉRENGER, *irrité, à Jean* : Sottises ! Sottises !

L'ÉPICIÈRE, *de sa fenêtre, à la Ménagère*: J'ai un autre chat, pour vous.

JEAN, *à Bérenger*: Moi? Vous osez prétendre que je dis des sottises?

LA MÉNAGÈRE, *à l'Épicière*: Je n'en veux pas d'autre!

> *Elle sanglote, en berçant son chat.*

BÉRENGER, *à Jean*: Oui, parfaitement, des sottises.

LE PATRON, *à la Ménagère*: Faites-vous une raison!

JEAN, *à Bérenger*: Je ne dis jamais de sottises, moi!

LE VIEUX MONSIEUR, *à la Ménagère*: Soyez philosophe!

BÉRENGER, *à Jean*: Et vous n'êtes qu'un prétentieux! *(Élevant la voix:)* Un pédant…

LE PATRON, *à Jean et à Bérenger*: Messieurs, Messieurs!

BÉRENGER, *à Jean, continuant*: Un pédant, qui n'est pas sûr de ses connaissances, car, d'abord, c'est le rhinocéros d'Asie qui a une corne sur le nez, le rhinocéros d'Afrique, lui, en a deux…

> *Les autres personnages délaissent
> la Ménagère et vont entourer Jean
> et Bérenger qui discutent très fort.*

JEAN, *à Bérenger*: Vous vous trompez, c'est le contraire!

LA MÉNAGÈRE, *seule*: Il était si mignon!

BÉRENGER: Voulez-vous parier?

LA SERVEUSE: Ils veulent parier!

DAISY, *à Bérenger*: Ne vous énervez pas, monsieur Bérenger.

JEAN, *à Bérenger*: Je ne parie pas avec vous. Les deux cornes, c'est vous qui les avez! Espèce d'Asiatique!

LA SERVEUSE: Oh!

L'ÉPICIÈRE, *de la fenêtre, à l'Épicier*: Ils vont se battre.

L'ÉPICIER, *à l'Épicière*: Penses-tu, c'est un pari!

LE PATRON, *à Jean et à Bérenger*: Pas de scandale ici.

LE VIEUX MONSIEUR: Voyons... Quelle espèce de rhinocéros n'a qu'une corne sur le nez? (*À l'Épicier.*) Vous qui êtes commerçant, vous devez savoir!

L'ÉPICIÈRE, *de la fenêtre, à l'Épicier*: Tu devrais savoir!

BÉRENGER, *à Jean*: Je n'ai pas de corne. Je n'en porterai jamais!

L'ÉPICIER, *au Vieux Monsieur*: Les commerçants ne peuvent pas tout savoir!

JEAN, *à Bérenger*: Si!

BÉRENGER, *à Jean*: Je ne suis pas asiatique non plus. D'autre part, les Asiatiques sont des hommes comme tout le monde...

LA SERVEUSE: Oui, les Asiatiques sont des hommes comme vous et moi...

LE VIEUX MONSIEUR, *au Patron*: C'est juste!

LE PATRON, *à la Serveuse*: On ne vous demande pas votre avis!

DAISY, *au Patron*: Elle a raison. Ce sont des hommes comme nous.

> *La Ménagère continue de se lamenter, pendant toute cette discussion.*

LA MÉNAGÈRE : Il était si doux, il était comme nous.

JEAN, *hors de lui* : Ils sont jaunes !

> *Le Logicien, à l'écart, entre la Ménagère et le groupe qui s'est formé autour de Jean et de Bérenger, suit la controverse attentivement, sans y participer.*

JEAN : Adieu, Messieurs ! *(À Bérenger.)* Vous, je ne vous salue pas !

LA MÉNAGÈRE, *même jeu* : Il nous aimait tellement !

> *Elle sanglote.*

DAISY : Voyons, monsieur Bérenger, voyons, monsieur Jean...

LE VIEUX MONSIEUR : J'ai eu des amis asiatiques. Peut-être n'étaient-ils pas de vrais Asiatiques...

LE PATRON : J'en ai connu des vrais.

LA SERVEUSE, *à l'Épicière* : J'ai eu un ami asiatique.

LA MÉNAGÈRE, *même jeu* : Je l'ai eu tout petit !

JEAN, *toujours hors de lui* : Ils sont jaunes ! jaunes ! très jaunes !

BÉRENGER, *à Jean* : En tout cas, vous, vous êtes écarlate !

L'ÉPICIÈRE, *de la fenêtre, et* LA SERVEUSE : Oh !

LE PATRON : Ça tourne mal !

LA MÉNAGÈRE, *même jeu* : Il était si propre ! Il faisait dans sa sciure !

JEAN, *à Bérenger* : Puisque c'est comme ça, vous ne me verrez plus ! Je perds mon temps avec un imbécile de votre espèce.

LA MÉNAGÈRE, *même jeu*: Il se faisait comprendre !

> *Jean sort vers la droite, très vite,*
> *furieux. Il se retourne toutefois avant*
> *de sortir pour de bon.*

LE VIEUX MONSIEUR, *à l'Épicier*: Il y a aussi des Asiatiques blancs, noirs, bleus, d'autres comme nous.

JEAN, *à Bérenger*: Ivrogne !

> *Tous le regardent consternés.*

BÉRENGER, *en direction de Jean*: Je ne vous permets pas !

TOUS, *en direction de Jean*: Oh !

LA MÉNAGÈRE, *même jeu*: Il ne lui manquait que la parole. Même pas !

DAISY, *à Bérenger*: Vous n'auriez pas dû le mettre en colère.

BÉRENGER, *à Daisy*: Ce n'est pas ma faute…

LE PATRON, *à la Serveuse*: Allez chercher un petit cercueil, pour cette pauvre bête…

LE VIEUX MONSIEUR, *à Bérenger*: Je pense que vous avez raison. Le rhinocéros d'Asie a deux cornes, le rhinocéros d'Afrique en a une…

L'ÉPICIER: Monsieur soutenait le contraire.

DAISY, *à Bérenger*: Vous avez tort tous les deux !

LE VIEUX MONSIEUR, *à Bérenger*: Vous avez tout de même eu raison.

LA SERVEUSE, *à la Ménagère*: Venez, Madame, on va le mettre en boîte.

LA MÉNAGÈRE, *sanglotant éperdument*: Jamais ! jamais !

L'ÉPICIER : Je m'excuse ; moi, je pense que c'est monsieur Jean qui avait raison.

DAISY, *se tournant vers la Ménagère* : Soyez raisonnable, Madame !

> *Daisy et la Serveuse entraînent la Ménagère, avec son chat mort, vers l'entrée du café.*

LE VIEUX MONSIEUR, *à Daisy et à la Serveuse* : Voulez-vous que je vous accompagne ?

L'ÉPICIER : Le rhinocéros d'Asie a une corne, le rhinocéros d'Afrique, deux. Et vice versa.

DAISY, *au Vieux Monsieur* : Ce n'est pas la peine.

> *Daisy et la Serveuse entrent dans le café, entraînant la Ménagère toujours inconsolée.*

L'ÉPICIÈRE, *à l'Épicier, de sa fenêtre* : Oh ! toi, toujours des idées pas comme tout le monde !

BÉRENGER, *à part, tandis que les autres continuent de discuter au sujet des cornes du rhinocéros* : Daisy a raison, je n'aurais pas dû le contredire.

LE PATRON, *à l'Épicière* : Votre mari a raison, le rhinocéros d'Asie a deux cornes, celui d'Afrique doit en avoir deux, et vice versa.

BÉRENGER, *à part* : Il ne supporte pas la contradiction. La moindre objection le fait écumer.

LE VIEUX MONSIEUR, *au Patron* : Vous faites erreur, mon ami.

LE PATRON, *au Vieux Monsieur* : Je vous demande bien pardon !...

BÉRENGER, *à part* : La colère est son seul défaut.

L'ÉPICIÈRE, *de sa fenêtre, au Vieux Monsieur, au Patron et à l'Épicier*: Peut-être sont-ils tous les deux pareils.

BÉRENGER, *à part*: Dans le fond, il a un cœur d'or, il m'a rendu d'innombrables services.

LE PATRON, *à l'Épicière*: L'autre ne peut qu'en avoir une, si l'un en a deux.

LE VIEUX MONSIEUR: Peut-être c'est l'un qui en a une, c'est l'autre qui en a deux.

BÉRENGER, *à part*: Je regrette de ne pas avoir été plus conciliant. Mais pourquoi s'entête-t-il? Je ne voulais pas le pousser à bout. *(Aux autres.)* Il soutient toujours des énormités! Il veut toujours épater tout le monde par son savoir. Il n'admet jamais qu'il pourrait se tromper.

LE VIEUX MONSIEUR, *à Bérenger*: Avez-vous des preuves?

BÉRENGER: À quel sujet?

LE VIEUX MONSIEUR: Votre affirmation de tout à l'heure qui a provoqué votre fâcheuse controverse avec votre ami.

L'ÉPICIER, *à Bérenger*: Oui, avez-vous des preuves?

LE VIEUX MONSIEUR, *à Bérenger*: Comment savez-vous que l'un des deux rhinocéros a deux cornes et l'autre une? Et lequel?

L'ÉPICIÈRE: Il ne le sait pas plus que nous.

BÉRENGER: D'abord, on ne sait pas s'il y en a eu deux. Je crois même qu'il n'y a eu qu'un rhinocéros.

LE PATRON: Admettons qu'il y en ait eu deux. Qui est unicorne, le rhinocéros d'Asie?

LE VIEUX MONSIEUR: Non. C'est le rhinocéros d'Afrique qui est bicornu. Je le crois.

LE PATRON : Qui est bicornu ?

L'ÉPICIER : Ce n'est pas celui d'Afrique.

L'ÉPICIÈRE : Il n'est pas facile de se mettre d'accord.

LE VIEUX MONSIEUR : Il faut tout de même élucider ce problème.

LE LOGICIEN, *sortant de sa réserve* : Messieurs, excusez-moi d'intervenir. Là n'est pas la question. Permettez-moi de me présenter...

LA MÉNAGÈRE, *en larmes* : C'est un Logicien !

LE PATRON : Oh ! il est Logicien !

LE VIEUX MONSIEUR, *présentant le Logicien à Bérenger* : Mon ami, le Logicien !

BÉRENGER : Enchanté, Monsieur.

LE LOGICIEN, *continuant* : ... Logicien professionnel : voici ma carte d'identité.

Il montre sa carte.

BÉRENGER : Très honoré, Monsieur.

L'ÉPICIER : Nous sommes très honorés.

LE PATRON : Voulez-vous nous dire alors, monsieur le Logicien, si le rhinocéros africain est unicornu...

LE VIEUX MONSIEUR : Ou bicornu...

L'ÉPICIÈRE : Et si le rhinocéros asiatique est bicornu.

L'ÉPICIER : Ou bien unicornu.

LE LOGICIEN : Justement, là n'est pas la question. C'est ce que je me dois de préciser.

L'ÉPICIER : C'est pourtant ce qu'on aurait voulu savoir.

LE LOGICIEN : Laissez-moi parler, Messieurs.

LE VIEUX MONSIEUR : Laissons-le parler.

L'ÉPICIÈRE, *à l'Épicier, de la fenêtre* : Laisse-le donc parler.

LE PATRON : On vous écoute, Monsieur.

LE LOGICIEN, *à Bérenger* : C'est à vous, surtout, que je m'adresse. Aux autres personnes présentes aussi.

L'ÉPICIER : À nous aussi...

LE LOGICIEN : Voyez-vous, le débat portait tout d'abord sur un problème dont vous vous êtes malgré vous écarté. Vous vous demandiez, au départ, si le rhinocéros qui vient de passer est bien celui de tout à l'heure, ou si c'en est un autre. C'est à cela qu'il faut répondre.

BÉRENGER : De quelle façon ?

LE LOGICIEN : Voici : vous pouvez avoir vu deux fois un même rhinocéros portant une seule corne...

L'ÉPICIER, *répétant, comme pour mieux comprendre* : Deux fois le même rhinocéros.

LE PATRON, *même jeu* : Portant une seule corne...

LE LOGICIEN, *continuant* : Comme vous pouvez avoir vu deux fois un même rhinocéros à deux cornes.

LE VIEUX MONSIEUR, *répétant* : Un seul rhinocéros à deux cornes, deux fois.

LE LOGICIEN : C'est cela. Vous pouvez encore avoir vu un premier rhinocéros à une corne, puis un autre, ayant également une seule corne.

L'ÉPICIÈRE, *de la fenêtre* : Ha, ha...

LE LOGICIEN : Et aussi un premier rhinocéros à deux cornes, puis un second rhinocéros à deux cornes.

LE PATRON : C'est exact.

LE LOGICIEN : Maintenant : si vous aviez vu…

L'ÉPICIER : Si nous avions vu…

LE VIEUX MONSIEUR : Oui, si nous avions vu…

LE LOGICIEN : Si vous aviez vu la première fois un rhinocéros à deux cornes…

LE PATRON : À deux cornes…

LE LOGICIEN : … La seconde fois un rhinocéros à une corne…

L'ÉPICIER : À une corne.

LE LOGICIEN : … Cela ne serait pas concluant non plus.

LE VIEUX MONSIEUR : Tout cela ne serait pas concluant.

LE PATRON : Pourquoi ?

L'ÉPICIÈRE : Ah ! là, là… J'y comprends rien.

L'ÉPICIER : Ouais ! ouais !

L'Épicière, haussant les épaules,
disparaît de sa fenêtre.

LE LOGICIEN : En effet, il se peut que depuis tout à l'heure le rhinocéros ait perdu une de ses cornes, et que celui de tout de suite soit celui de tout à l'heure.

BÉRENGER : Je comprends, mais…

LE VIEUX MONSIEUR, *interrompant Bérenger* : N'interrompez pas.

LE LOGICIEN : Il se peut aussi que deux rhinocéros à deux cornes aient perdu tous les deux une de leurs cornes.

LE VIEUX MONSIEUR : C'est possible.

LE PATRON : Oui, c'est possible.

L'ÉPICIER : Pourquoi pas !

BÉRENGER : Oui, toutefois…

LE VIEUX MONSIEUR, *à Bérenger*: N'interrompez pas.

LE LOGICIEN: Si vous pouviez prouver avoir vu la première fois un rhinocéros à une corne, qu'il fût asiatique ou africain...

LE VIEUX MONSIEUR: Asiatique ou africain...

LE LOGICIEN: ... La seconde fois, un rhinocéros à deux cornes...

LE VIEUX MONSIEUR: À deux cornes!

LE LOGICIEN: ... qu'il fût, peu importe, africain ou asiatique...

L'ÉPICIER: Africain ou asiatique...

LE LOGICIEN, *continuant la démonstration*: ... À ce moment-là, nous pourrions conclure que nous avons affaire à deux rhinocéros différents, car il est peu probable qu'une deuxième corne puisse pousser en quelques minutes, de façon visible, sur le nez d'un rhinocéros...

LE VIEUX MONSIEUR: C'est peu probable.

LE LOGICIEN, *enchanté de son raisonnement*: ... Cela ferait d'un rhinocéros asiatique ou africain...

LE VIEUX MONSIEUR: Asiatique ou africain.

LE LOGICIEN: ... Un rhinocéros africain ou asiatique.

LE PATRON: Africain ou asiatique.

L'ÉPICIER: Ouais, ouais.

LE LOGICIEN: ... Or, cela n'est pas possible en bonne logique, une même créature ne pouvant être née en deux lieux à la fois...

LE VIEUX MONSIEUR: Ni même successivement.

LE LOGICIEN, *au Vieux Monsieur*: C'est ce qui est à démontrer.

BÉRENGER, *au Logicien* : Cela me semble clair, mais cela ne résout pas la question.

LE LOGICIEN, *à Bérenger, en souriant d'un air compétent* : Évidemment, cher Monsieur, seulement, de cette façon, le problème est posé de façon correcte.

LE VIEUX MONSIEUR : C'est tout à fait logique.

LE LOGICIEN, *soulevant son chapeau* : Au revoir, Messieurs.

> *Il se retourne et sortira par la gauche, suivi du Vieux Monsieur.*

LE VIEUX MONSIEUR : Au revoir, Messieurs.

> *Il soulève son chapeau et sort à la suite du Logicien.*

L'ÉPICIER : C'est peut-être logique…

> *À ce moment, du café, la Ménagère, en grand deuil, sort, tenant une boîte, elle est suivie par Daisy et la Serveuse, comme pour un enterrement. Le cortège se dirige vers la sortie à droite.*

L'ÉPICIER, *continuant* : … C'est peut-être logique, cependant pouvons-nous admettre que nos chats soient écrasés sous nos yeux par des rhinocéros à une corne, ou à deux cornes, qu'ils soient asiatiques, ou qu'ils soient africains ?

> *Il montre, d'un geste théâtral, le cortège qui est en train de sortir.*

LE PATRON: Il a raison, c'est juste! Nous ne pouvons pas permettre que nos chats soient écrasés par
des rhinocéros, ou par n'importe quoi!

L'ÉPICIER: Nous ne pouvons pas le permettre!

L'ÉPICIÈRE, *sortant sa tête, par la porte de la boutique,
à l'Épicier*: Alors, rentre! Les clients vont venir!

L'ÉPICIER, *se dirigeant vers la boutique*: Non, nous
ne pouvons pas le permettre!

BÉRENGER: Je n'aurais pas dû me quereller avec
Jean! *(Au Patron.)* Apportez-moi un verre de cognac!
un grand!

LE PATRON: Je vous l'apporte!

> *Il va chercher le verre de cognac
> dans le café.*

BÉRENGER, *seul*: Je n'aurais pas dû, je n'aurais pas
dû me mettre en colère! *(Le Patron sort, un grand
verre de cognac à la main.)* J'ai le cœur trop gros pour
aller au musée. Je cultiverai mon esprit une autre fois.

> *Il prend le verre de cognac, le boit.*

RIDEAU

Acte II

Premier tableau

Décor

Le bureau d'une administration, ou d'une entreprise privée, une grande maison de publications juridiques par exemple. Au fond, au milieu, une grande porte à deux battants, au-dessus de laquelle un écriteau indique : Chef de service. À gauche au fond, près de la porte du Chef, la petite table de Daisy, avec une machine à écrire. Contre le mur de gauche, entre une porte donnant sur l'escalier et la petite table de Daisy, une autre table sur laquelle on met des feuilles de présence, que les employés doivent signer en arrivant. Puis, à gauche, toujours au premier plan, la porte donnant sur l'escalier. On voit les dernières marches de cet escalier, le haut de la rampe, un petit palier. Au premier plan, une table avec deux chaises. Sur la table : des épreuves d'imprimerie, un encrier, des porte-plume ; c'est la table où travaillent Botard et Bérenger ; ce dernier s'assoira sur la chaise de gauche, le premier sur celle de droite. Près du mur de droite, une autre table, plus grande, rectangulaire, — également recouverte de papiers, d'épreuves d'imprimerie, etc. Deux chaises encore près de cette table (plus belles, plus « importantes ») se

font vis-à-vis. C'est la table de Dudard et de M. Bœuf.
Dudard s'assoira sur la chaise qui est contre le mur, ayant
les autres employés en face de lui. Il fait fonction de sous-
chef. Entre la porte du fond et le mur de droite, une
fenêtre. Dans le cas où le théâtre aurait une fosse d'or-
chestre, il serait préférable de ne mettre que le simple
encadrement d'une fenêtre, au tout premier plan, face au
public. Dans le coin de droite, au fond, un portemanteau,
sur lequel sont accrochés des blouses grises ou de vieux
vestons. Éventuellement, le portemanteau pourrait être
placé lui aussi sur le devant de la scène, tout près du mur
de droite.

Contre les murs, des rangées de livres et de dossiers
poussiéreux. Sur le fond, à gauche, au-dessus des rayons,
il y a des écriteaux : Jurisprudence, Codes ; *sur le mur*
de droite, qui peut être légèrement oblique, les écriteaux
indiquent : Le Journal officiel, Lois fiscales. *Au-dessus de*
la porte du Chef de service, une horloge indique : 9 heures
3 minutes.

Au lever du rideau, Dudard, debout, près de la chaise
de son bureau, profil droit à la salle ; de l'autre côté du
bureau, profil gauche à la salle, Botard ; entre eux, près
du bureau également, face au public, le Chef de service ;
Daisy, un peu en retrait près du Chef de service, à sa
gauche. Elle a, dans la main, des feuilles de papier dacty-
lographiées. Sur la table, entourée par les trois person-
nages, par-dessus les épreuves d'imprimerie, un grand
journal ouvert est étalé.

Au lever du rideau, pendant quelques secondes, les per-
sonnages restent immobiles, dans la position où sera dite
la première réplique. Cela doit faire tableau vivant. *Au*
début du premier acte, il en aura été de même.

Le Chef de service, une cinquantaine d'années, vêtu correctement: complet bleu marine, rosette de la Légion d'honneur, faux col amidonné, cravate noire, grosse moustache brune. Il s'appelle: M. Papillon.

Dudard: *trente-cinq ans. Complet gris; il a des manches de lustrine noire pour préserver son veston. Il peut porter des lunettes. Il est assez grand, employé (cadre) d'avenir. Si le chef devenait sous-directeur, c'est lui qui prendrait sa place; Botard ne l'aime pas.*

Botard: *instituteur retraité; l'air fier, petite moustache blanche; il a une soixantaine d'années qu'il porte vertement. (Il sait tout, comprend tout.) Il a un béret basque sur la tête; il est revêtu d'une longue blouse grise pour le travail, il a des lunettes sur un nez assez fort; un crayon à l'oreille; des manches, également de lustrine.*

Daisy: *jeune, blonde.*

Plus tard, Mme Bœuf: *une grosse femme de quarante à cinquante ans, éplorée, essoufflée.*

Les personnages sont donc debout au lever du rideau, immobiles autour de la table de droite; le Chef a la main et l'index tendus vers le journal. Dudard, la main tendue en direction de Botard, a l'air de lui dire: «Vous voyez bien pourtant!» Botard, les mains dans les poches de sa blouse, un sourire incrédule sur les lèvres, l'air de dire: «On ne me la fait pas.» Daisy, ses feuilles dactylographiées à la main, a l'air d'appuyer du regard Dudard. Au bout de quelques brèves secondes, Botard attaque.

BOTARD: Des histoires, des histoires à dormir debout.

DAISY: Je l'ai vu, j'ai vu le rhinocéros!

DUDARD : C'est écrit sur le journal, c'est clair, vous ne pouvez le nier.

BOTARD, *de l'air du plus profond mépris* : Pfff !

DUDARD : C'est écrit, puisque c'est écrit ; tenez, à la rubrique des chats écrasés ! Lisez donc la nouvelle, monsieur le Chef !

MONSIEUR PAPILLON : « Hier, dimanche, dans notre ville, sur la place de l'Église, à l'heure de l'apéritif, un chat a été foulé aux pieds par un pachyderme. »

DAISY : Ce n'était pas exactement sur la place de l'Église !

MONSIEUR PAPILLON : C'est tout. On ne donne pas d'autres détails.

BOTARD : Pfff !

DUDARD : Cela suffit, c'est clair.

BOTARD : Je ne crois pas les journalistes. Les journalistes sont tous des menteurs, je sais à quoi m'en tenir, je ne crois que ce que je vois, de mes propres yeux. En tant qu'ancien instituteur, j'aime la chose précise, scientifiquement prouvée, je suis un esprit méthodique, exact.

DUDARD : Que vient faire ici l'esprit méthodique ?

DAISY, *à Botard* : Je trouve, monsieur Botard, que la nouvelle est très précise.

BOTARD : Vous appelez cela de la précision ? Voyons. De quel pachyderme s'agit-il ? Qu'est-ce que le rédacteur de la rubrique des chats écrasés entend-il par un pachyderme ? Il ne nous le dit pas. Et qu'entend-il par chat ?

DUDARD : Tout le monde sait ce qu'est un chat.

BOTARD : Est-ce d'un chat, ou est-ce d'une chatte

qu'il s'agit? Et de quelle couleur? De quelle race? Je ne suis pas raciste, je suis même antiraciste.

MONSIEUR PAPILLON: Voyons, monsieur Botard, il ne s'agit pas de cela, que vient faire ici le racisme?

BOTARD: Monsieur le Chef, je vous demande bien pardon. Vous ne pouvez nier que le racisme est une des grandes erreurs du siècle.

DUDARD: Bien sûr, nous sommes tous d'accord, mais il ne s'agit pas là de...

BOTARD: Monsieur Dudard, on ne traite pas cela à la légère. Les événements historiques nous ont bien prouvé que le racisme...

DUDARD: Je vous dis qu'il ne s'agit pas de cela.

BOTARD: On ne le dirait pas.

MONSIEUR PAPILLON: Le racisme n'est pas en question.

BOTARD: On ne doit perdre aucune occasion de le dénoncer.

DAISY: Puisqu'on vous dit que personne n'est raciste. Vous déplacez la question, il s'agit tout simplement d'un chat écrasé par un pachyderme: un rhinocéros en l'occurrence.

BOTARD: Je ne suis pas du Midi, moi. Les Méridionaux ont trop d'imagination. C'était peut-être tout simplement une puce écrasée par une souris. On en fait une montagne.

MONSIEUR PAPILLON, *à Dudard*: Essayons donc de mettre les choses au point. Vous auriez donc vu, de vos yeux vu, le rhinocéros se promener en flânant dans les rues de la ville?

DAISY: Il ne flânait pas, il courait.

DUDARD : Personnellement, moi, je ne l'ai pas vu. Cependant, des gens dignes de foi…

BOTARD, *l'interrompant* : Vous voyez bien que ce sont des racontars, vous vous fiez à des journalistes qui ne savent quoi inventer pour faire vendre leurs méprisables journaux, pour servir leurs patrons, dont ils sont les domestiques ! Vous croyez cela, monsieur Dudard, vous, un juriste, un licencié en droit. Permettez-moi de rire ! Ah ! ah ! ah !

DAISY : Mais moi, je l'ai vu, j'ai vu le rhinocéros. J'en mets ma main au feu.

BOTARD : Allons donc ! Je vous croyais une fille sérieuse.

DAISY : Monsieur Botard, je n'ai pas la berlue ! Et je n'étais pas seule, il y avait des gens autour de moi qui regardaient.

BOTARD : Pfff ! Ils regardaient sans doute autre chose !… Des flâneurs, des gens qui n'ont rien à faire, qui ne travaillent pas, des oisifs.

DUDARD : C'était hier, c'était dimanche.

BOTARD : Moi, je travaille aussi le dimanche. Je n'écoute pas les curés qui vous font venir à l'église pour vous empêcher de faire votre boulot, et de gagner votre pain à la sueur de votre front.

MONSIEUR PAPILLON, *indigné* : Oh !

BOTARD : Excusez-moi, je ne voudrais pas vous vexer. Ce n'est pas parce que je méprise les religions qu'on peut dire que je ne les estime pas. *(À Daisy.)* D'abord, savez-vous ce que c'est qu'un rhinocéros ?

DAISY : C'est un… c'est un très gros animal, vilain !

BOTARD : Et vous vous vantez d'avoir une pensée précise ! Le rhinocéros, Mademoiselle…

MONSIEUR PAPILLON : Vous n'allez pas nous faire un cours sur le rhinocéros, ici. Nous ne sommes pas à l'école.

BOTARD : C'est bien dommage.

>*Depuis les dernières répliques, on a pu voir Bérenger monter avec précaution les dernières marches de l'escalier ; entrouvrir prudemment la porte du bureau qui, en s'écartant, laisse voir la pancarte sur laquelle on peut lire : « Éditions de Droit. »*

MONSIEUR PAPILLON, *à Daisy* : Bon ! Il est plus de neuf heures, Mademoiselle, enlevez-moi la feuille de présence. Tant pis pour les retardataires !

>*Daisy se dirige vers la petite table, à gauche, où se trouve la feuille de présence, au moment où entre Bérenger.*

BÉRENGER, *entrant, tandis que les autres continuent de discuter ; à Daisy* : Bonjour, mademoiselle Daisy. Je ne suis pas un retard ?

BOTARD, *à Dudard et à M. Papillon* : Je lutte contre l'ignorance, où je la trouve !

DAISY, *à Bérenger* : Monsieur Bérenger, dépêchez-vous !

BOTARD : ... Dans les palais, dans les chaumières !

DAISY, *à Bérenger* : Signez vite la feuille de présence !

BÉRENGER : Oh ! merci ! Le Chef est déjà arrivé ?

DAISY, *à Bérenger ; un doigt sur les lèvres* : Chut ! oui, il est là.

BÉRENGER : Déjà ? Si tôt ?

> *Il se précipite pour aller signer la feuille de présence.*

BOTARD, *continuant* : N'importe où ! Même dans les maisons d'édition.

MONSIEUR PAPILLON, *à Botard* : Monsieur Botard, je crois que…

BÉRENGER, *signant la feuille ; à Daisy* : Pourtant, il n'est pas neuf heures dix…

MONSIEUR PAPILLON, *à Botard* : Je crois que vous dépassez les limites de la politesse.

DUDARD, *à M. Papillon* : Je le pense aussi, Monsieur.

MONSIEUR PAPILLON, *à Botard* : Vous n'allez pas dire que mon collaborateur et votre collègue, monsieur Dudard, qui est licencié en droit, excellent employé, est un ignorant.

BOTARD : Je n'irai pas jusqu'à affirmer une pareille chose, toutefois les Facultés, l'Université, cela ne vaut pas l'école communale.

MONSIEUR PAPILLON, *à Daisy* : Alors, cette feuille de présence !

DAISY, *à M. Papillon* : La voici, Monsieur.

> *Elle la lui tend.*

MONSIEUR PAPILLON, *à Bérenger* : Tiens, voilà monsieur Bérenger !

BOTARD, *à Dudard* : Ce qui manque aux universitaires, ce sont les idées claires, l'esprit d'observation, le sens pratique.

DUDARD, *à Botard* : Allons donc !

BÉRENGER, *à M. Papillon* : Bonjour, monsieur

Papillon. *(Bérenger justement se dirigeait derrière le dos du chef, contournant le groupe des trois personnages, vers le portemanteau; il y prendra sa blouse de travail, ou son veston usé, en y accrochant à la place son veston de ville; maintenant, près du portemanteau, ôtant son veston, mettant l'autre veston, puis allant à sa table de travail, dans le tiroir de laquelle il trouvera ses manches de lustrine noire, etc., il salue.)* Bonjour, monsieur Papillon! excusez-moi, j'ai failli être en retard. Bonjour, Dudard! Bonjour, monsieur Botard.

MONSIEUR PAPILLON: Dites donc, Bérenger, vous aussi vous avez vu des rhinocéros?

BOTARD, *à Dudard*: Les universitaires sont des esprits abstraits qui ne connaissent rien à la vie.

DUDARD, *à Botard*: Sottises!

BÉRENGER, *continuant de ranger ses affaires pour le travail, avec un empressement excessif, comme pour faire excuser son retard; à M. Papillon, d'un ton naturel*: Mais oui, bien sûr, je l'ai vu!

BOTARD, *se retournant*: Pfff!

DAISY: Ah! vous voyez, je ne suis pas folle.

BOTARD, *ironique*: Oh! M. Bérenger dit cela par galanterie, car c'est un galant, bien qu'il n'en ait pas l'air.

DUDARD: C'est de la galanterie de dire qu'on a vu un rhinocéros?

BOTARD: Certainement. Quand c'est pour appuyer les affirmations de Mlle Daisy. Tout le monde est galant avec Mlle Daisy, c'est compréhensible.

MONSIEUR PAPILLON: Ne soyez pas de mauvaise foi, monsieur Botard, M. Bérenger n'a pas pris part à la controverse. Il vient à peine d'arriver.

BÉRENGER, *à Daisy*: N'est-ce pas que vous l'avez vu? Nous avons vu.

BOTARD: Pfff! Il est possible que M. Bérenger ait cru apercevoir un rhinocéros. *(Il fait derrière le dos de Bérenger le signe que Bérenger boit!)* Il a tellement d'imagination! Avec lui, tout est possible.

BÉRENGER: Je n'étais pas seul, quand j'ai vu le rhinocéros! ou peut-être les deux rhinocéros.

BOTARD: Il ne sait même pas combien il en a vu!

BÉRENGER: J'étais à côté de mon ami Jean!... Il y avait d'autre gens.

BOTARD, *à Bérenger*: Vous bafouillez, ma parole.

DAISY: C'était un rhinocéros unicorne.

BOTARD: Pfff! Ils sont de mèche tous les deux pour se payer notre tête!

DUDARD, *à Daisy*: Je crois plutôt qu'il avait deux cornes, d'après ce que j'ai entendu dire!

BOTARD: Alors là, il faudrait s'entendre.

MONSIEUR PAPILLON, *regardant l'heure*: Finissons-en, Messieurs, l'heure avance.

BOTARD: Vous avez vu, vous, monsieur Bérenger, un rhinocéros, ou deux rhinocéros?

BÉRENGER: Euh! c'est-à-dire...

BOTARD: Vous ne savez pas. Mlle Daisy a vu un rhinocéros unicorne. Votre rhinocéros à vous, monsieur Bérenger, si rhinocéros il y a, était-il unicorne, ou bicornu?

BÉRENGER: Voyez-vous, tout le problème est là justement.

BOTARD: C'est bien vaseux tout cela.

DAISY: Oh!

BOTARD: Je ne voudrais pas vous vexer. Mais je

n'y crois pas à votre histoire ! Des rhinocéros, dans le pays, cela ne s'est jamais vu !

DUDARD : Il suffit d'une fois !

BOTARD : Cela ne s'est jamais vu ! Sauf sur les images, dans les manuels scolaires. Vos rhinocéros n'ont fleuri que dans les cervelles des bonnes femmes.

BÉRENGER : L'expression « fleurir », appliquée à des rhinocéros, me semble assez impropre.

DUDARD : C'est juste.

BOTARD, *continuant* : Votre rhinocéros est un mythe !

DAISY : Un mythe ?

MONSIEUR PAPILLON : Messieurs, je crois qu'il est l'heure de se mettre au travail.

BOTARD, *à Daisy* : Un mythe, tout comme les soucoupes volantes !

DUDARD : Il y a tout de même eu un chat écrasé, c'est indéniable !

BÉRENGER : J'en témoigne.

DUDARD, *montrant Bérenger* : Et des témoins !

BOTARD : Un témoin pareil !

MONSIEUR PAPILLON : Messieurs, messieurs !

BOTARD, *à Dudard* : Psychose collective, monsieur Dudard, psychose collective ! C'est comme la religion qui est l'opium des peuples !

DAISY : Eh bien, j'y crois, moi, aux soucoupes volantes !

BOTARD : Pfff !

MONSIEUR PAPILLON, *avec fermeté* : Ça va comme ça, on exagère. Assez de bavardages ! Rhinocéros ou non, soucoupes volantes ou non, il faut que le travail soit fait ! La maison ne vous paye pas pour perdre votre temps à vous entretenir d'animaux réels ou fabuleux!

BOTARD: Fabuleux!

DUDARD: Réels!

DAISY: Très réels.

MONSIEUR PAPILLON: Messieurs, j'attire encore une fois votre attention: vous êtes dans vos heures de travail. Permettez-moi de couper court à cette polémique stérile…

BOTARD, *blessé, ironique*: D'accord, monsieur Papillon. Vous êtes le chef. Puisque vous l'ordonnez, nous devons obéir.

MONSIEUR PAPILLON: Messieurs, dépêchez-vous. Je ne veux pas être dans la triste obligation de vous retenir une amende sur vos traitements! Monsieur Dudard, où en est votre commentaire de la loi sur la répression antialcoolique?

DUDARD: Je mets cela au point, monsieur le Chef.

MONSIEUR PAPILLON: Tâchez de terminer. C'est pressé. Vous, monsieur Bérenger et monsieur Botard, avez-vous fini de corriger les épreuves de la réglementation des vins dits «d'appellation contrôlée»?

BÉRENGER: Pas encore, monsieur Papillon. Mais c'est bien entamé.

MONSIEUR PAPILLON: Finissez de les corriger ensemble. L'imprimerie attend. Vous, Mademoiselle, vous viendrez me faire signer le courrier dans mon bureau. Dépêchez-vous de le taper.

DAISY: C'est entendu, monsieur Papillon.

> *Daisy va à son petit bureau et tape à la machine. Dudard s'assoit*

> *à son bureau et commence à travailler. Bérenger et Botard à leurs petites tables, tous deux de profil à la salle; Botard, de dos à la porte de l'escalier. Botard a l'air de mauvaise humeur; Bérenger est passif et vaseux; Bérenger installe les épreuves sur la table, passe le manuscrit à Botard; Botard s'assoit en bougonnant, tandis que M. Papillon sort en claquant la porte.*

MONSIEUR PAPILLON : À tout à l'heure, Messieurs !

> *Il sort.*

BÉRENGER, *lisant et corrigeant, tandis que Botard suit sur le manuscrit, avec un crayon* : Réglementation des crus d'origine dits « d'appellation »… *(Il corrige.)* Avec deux L, appellation. *(Il corrige.)* Contrôlée… un L, contrôlée… Les vins d'appellation contrôlée de la région bordelaise, région inférieure des coteaux supérieurs…

BOTARD, *à Bérenger* : Je n'ai pas ça ! Une ligne de sautée.

BÉRENGER : Je reprends : les vins d'appellation contrôlée.

DUDARD, *à Bérenger et à Botard* : Lisez moins fort, je vous prie. On n'entend que vous, vous m'empêchez de fixer mon attention sur mon travail.

BOTARD, *à Dudard par-dessus la tête de Bérenger, reprenant la discussion de tout à l'heure; tandis que*

Bérenger, pendant quelques instants, corrige tout seul; il fait bouger ses lèvres sans bruit, tout en lisant: C'est une mystification!

DUDARD: Qu'est-ce qui est une mystification?

BOTARD: Votre histoire de rhinocéros, pardi! C'est votre propagande qui fait courir ces bruits!

DUDARD, *s'interrompant dans son travail*: Quelle propagande?

BÉRENGER, *intervenant*: Ce n'est pas de la propagande...

DAISY, *s'interrompant de taper*: Puisque je vous répète que j'ai vu... j'ai vu... on a vu.

DUDARD, *à Botard*: Vous me faites rire!... De la propagande! Dans quel but?

BOTARD, *à Dudard*: Allons donc!... Vous le savez mieux que moi. Ne faites pas l'innocent.

DUDARD, *se fâchant*: En tout cas, monsieur Botard, moi je ne suis pas payé par les Ponténégrins.

BOTARD, *rouge de colère, tapant du poing sur la table*: C'est une insulte. Je ne permettrai pas...

M. Botard se lève.

BÉRENGER, *suppliant*: Monsieur Botard, voyons...

DAISY: Monsieur Dudard, voyons...

BOTARD: Je dis que c'est une insulte...

La porte du cabinet du Chef s'ouvre soudain: Botard et Dudard se rassoient très vite; le Chef de Service a en main la feuille de présence; à son apparition, le silence s'était fait subitement.

MONSIEUR PAPILLON: M. Bœuf n'est pas venu aujourd'hui ?

BÉRENGER, *regardant autour de lui*: En effet, il est absent.

MONSIEUR PAPILLON: Justement, j'avais besoin de lui ! *(À Daisy.)* A-t-il annoncé qu'il était malade, ou qu'il était empêché ?

DAISY: Il ne m'a rien dit.

MONSIEUR PAPILLON, *ouvrant tout à fait sa porte, et entrant*: Si ça continue, je vais le mettre à la porte. Ce n'est pas la première fois qu'il me fait le coup. Jusqu'à présent, j'ai fermé les yeux, mais ça n'ira plus... Quelqu'un d'entre vous a-t-il la clé de son secrétaire ?

> *Juste à ce moment, Mme Bœuf fait son entrée. On avait pu la voir, pendant cette dernière réplique, monter le plus vite qu'elle pouvait les dernières marches de l'escalier, elle a ouvert brusquement la porte. Elle est tout essoufflée, effrayée.*

BÉRENGER: Tiens, voici Mme Bœuf.

DAISY: Bonjour, madame Bœuf.

MADAME BŒUF: Bonjour, monsieur Papillon ! Bonjour, Messieurs Dames.

MONSIEUR PAPILLON: Alors, et votre mari ? Qu'est-ce qu'il lui est arrivé, il ne veut plus se déranger ?

MADAME BŒUF, *haletante*: Je vous prie de l'excuser, excusez mon mari... Il est parti dans sa famille pour le week-end. Il a une légère grippe.

MONSIEUR PAPILLON : Ah ! il a une légère grippe !

MADAME BŒUF, *tendant un papier au Chef* : Tenez, il le dit dans son télégramme. Il espère être de retour mercredi. *(Presque défaillante.)* Donnez-moi un verre d'eau… et une chaise…

> *Bérenger vient lui apporter, au milieu du plateau, sa propre chaise sur laquelle elle s'écroule.*

MONSIEUR PAPILLON, *à Daisy* : Donnez-lui un verre d'eau.

DAISY : Tout de suite !

> *Elle va lui apporter un verre d'eau, la faire boire, pendant les quelques répliques qui suivent.*

DUDARD, *au Chef* : Elle doit être cardiaque.

MONSIEUR PAPILLON : C'est bien ennuyeux que M. Bœuf soit absent. Mais ce n'est pas une raison pour vous affoler !

MADAME BŒUF, *avec peine* : C'est que… c'est que… j'ai été poursuivie par un rhinocéros depuis la maison jusqu'ici…

BÉRENGER : Unicorne, ou à deux cornes ?

BOTARD, *s'esclaffant* : Vous me faites rigoler !

DUDARD, *s'indignant* : Laissez-la donc parler !

MADAME BŒUF, *faisant un grand effort pour préciser et montrant du doigt en direction de l'escalier* : Il est là, en bas, à l'entrée. Il a l'air de vouloir monter l'escalier.

> *Au même instant, un bruit se fait entendre. On voit les marches de*

l'escalier qui s'effondrent sous un poids sans doute formidable. On entend, venant d'en bas, des barrissements angoissés. La poussière, provoquée par l'effondrement de l'escalier, en se dissipant laissera voir le palier de l'escalier suspendu dans le vide.

DAISY : Mon Dieu !...

MADAME BŒUF, *sur sa chaise, la main sur le cœur* : Oh ! Ah !

Bérenger s'empresse autour de Mme Bœuf, tapote ses joues, lui donne à boire.

BÉRENGER : Calmez-vous !

Pendant ce temps, M. Papillon, Dudard et Botard se précipitent à gauche, ouvrent la porte en se bousculant et se retrouvent sur le palier de l'escalier entourés de poussière ; les barrissements continuent de se faire entendre.

DAISY, *à Mme Bœuf* : Vous allez mieux, madame Bœuf ?

MONSIEUR PAPILLON, *sur le palier* : Le voilà. En bas ! C'en est un !

BOTARD : Je ne vois rien du tout. C'est une illusion.

DUDARD : Mais si, là, en bas, il tourne en rond.

MONSIEUR PAPILLON : Messieurs, il n'y a pas de doute. Il tourne en rond.

DUDARD : Il ne pourra pas monter. Il n'y a plus d'escalier.

BOTARD : C'est bien bizarre. Qu'est-ce que cela veut dire ?

DUDARD, *se tournant du côté de Bérenger* : Venez donc voir. Venez donc le voir, votre rhinocéros.

BÉRENGER : J'arrive.

> *Bérenger se précipite en direction du palier, suivi de Daisy abandonnant Mme Bœuf.*

MONSIEUR PAPILLON, *à Bérenger* : Alors, vous, le spécialiste des rhinocéros, regardez donc.

BÉRENGER : Je ne suis pas le spécialiste des rhinocéros…

DAISY : Oh !… regardez… comme il tourne en rond. On dirait qu'il souffre… qu'est-ce qu'il veut ?

DUDARD : On dirait qu'il cherche quelqu'un. (*À Botard.*) Vous le voyez, maintenant ?

BOTARD, *vexé* : En effet, je le vois.

DAISY, *à Botard* : Peut-être avons-nous tous la berlue ? Et vous aussi…

BOTARD : Je n'ai jamais la berlue. Mais il y a quelque chose là-dessous.

DUDARD, à *Botard* : Quoi, quelque chose ?

MONSIEUR PAPILLON, *à Bérenger* : C'est bien un rhinocéros, n'est-ce pas ? C'est bien celui que vous avez déjà vu ? (*À Daisy.*) Et vous aussi ?

DAISY : Certainement.

BÉRENGER : Il a deux cornes. C'est un rhinocéros africain, ou plutôt asiatique. Ah ! je ne sais plus si le rhinocéros africain a deux cornes ou une corne.

MONSIEUR PAPILLON : Il nous a démoli l'escalier, tant mieux, une chose pareille devait arriver ! Depuis le temps que je demande à la direction générale de nous construire des marches de ciment pour remplacer ce vieil escalier vermoulu.

DUDARD : Il y a une semaine encore, j'ai envoyé un rapport, monsieur le Chef.

MONSIEUR PAPILLON : Cela devait arriver, cela devait arriver. C'était à prévoir. J'ai eu raison.

DAISY, *à M. Papillon, ironique* : Comme d'habitude.

BÉRENGER, *à Dudard et à M. Papillon* : Voyons, voyons, la bicornuité caractérise-t-elle le rhinocéros d'Asie ou celui d'Afrique ? L'unicornuité caractérise-t-elle celui d'Afrique ou d'Asie ?…

DAISY : Pauvre bête, il n'en finit pas de barrir, et de tourner en rond. Qu'est-ce qu'il veut ? Oh ! il nous regarde. *(En direction du rhinocéros.)* Minou, minou, minou…

DUDARD : Vous n'allez pas le caresser, il n'est sans doute pas apprivoisé…

MONSIEUR PAPILLON : De toute façon, il est hors d'atteinte.

> *Le rhinocéros barrit abominablement.*

DAISY : Pauvre bête !

BÉRENGER, *poursuivant ; à Botard* : Vous qui savez un tas de choses, ne pensez-vous, pas au contraire que c'est la bicornuité qui… ?

MONSIEUR PAPILLON : Vous cafouillez, mon cher Bérenger, vous êtes encore vaseux. M. Botard a raison.

BOTARD : Comment est-ce possible, dans un pays civilisé…

DAISY, *à Botard*: D'accord. Cependant, existe-t-il ou non ?

BOTARD : C'est une machination infâme ! *(D'un geste d'orateur de tribune, pointant son doigt vers Dudard, et le foudroyant du regard.)* C'est votre faute.

DUDARD : Pourquoi la mienne, et pas la vôtre ?

BOTARD, *furieux* : Ma faute ? C'est toujours sur les petits que ça retombe. S'il ne tenait qu'à moi…

MONSIEUR PAPILLON : Nous sommes dans de beaux draps, sans escalier.

DAISY, *à Botard et à Dudard* : Calmez-vous, ça n'est pas le moment, Messieurs !

MONSIEUR PAPILLON : C'est la faute de la direction générale.

DAISY : Peut-être. Mais comment allons-nous descendre ?

MONSIEUR PAPILLON, *plaisantant amoureusement et caressant la joue de la dactylo* : Je vous prendrai dans mes bras, et nous sauterons ensemble !

DAISY, *repoussant la main du Chef de Service* : Ne mettez pas sur ma figure votre main rugueuse, espèce de pachyderme !

MONSIEUR PAPILLON : Je plaisantais !

> *Entre-temps, tandis que le rhinocéros n'avait cessé de barrir, Mme Bœuf s'était levée et avait rejoint le groupe. Elle fixe, quelques instants, attentivement, le rhinocéros tournant en rond, en bas; elle pousse brusquement un cri terrible.*

MADAME BŒUF: Mon Dieu! Est-ce possible!

BÉRENGER, *à Mme Bœuf*: Qu'avez-vous?

MADAME BŒUF: C'est mon mari! Bœuf, mon pauvre Bœuf, que t'est-il arrivé?

DAISY, *à Mme Bœuf*: Vous en êtes sûre?

MADAME BŒUF: Je le reconnais, je le reconnais.

> *Le rhinocéros répond par un barrissement violent, mais tendre.*

MONSIEUR PAPILLON: Par exemple! Cette fois, je le mets à la porte pour de bon!

DUDARD: Est-il assuré?

BOTARD, *à part*: Je comprends tout...

DAISY: Comment payer les assurances dans un cas semblable?

MADAME BŒUF, *s'évanouissant dans les bras de Bérenger*: Ah! mon Dieu!

BÉRENGER: Oh!

DAISY: Transportons-la.

> *Bérenger aidé par Dudard et Daisy traîne Mme Bœuf jusqu'à sa chaise et l'installe.*

DUDARD, *pendant qu'on la transporte*: Ne vous en faites pas, madame Bœuf.

MADAME BŒUF: Ah! Oh!

DAISY: Ça s'arrangera peut-être...

MONSIEUR PAPILLON, *à Dudard*: Juridiquement, que peut-on faire?

DUDARD: Il faut demander au contentieux.

BOTARD, *suivant le cortège et levant les bras au ciel*: C'est de la folie pure! Quelle société! *(On s'empresse autour de Mme Bœuf, on tapote ses joues, elle ouvre les yeux, pousse un «Ah!», referme les yeux, on retapote ses joues, pendant que Botard parle.)* En tout cas, soyez certains que je dirai tout à mon comité d'action. Je n'abandonnerai pas un collègue dans le besoin. Cela se saura.

MADAME BŒUF, *revenant à elle*: Mon pauvre chéri, je ne peux pas le laisser comme cela, mon pauvre chéri. *(On entend barrir.)* Il m'appelle. *(Tendrement:)* Il m'appelle.

DAISY: Ça va mieux, madame Bœuf?

DUDARD: Elle reprend ses esprits.

BOTARD, *à Mme Bœuf*: Soyez assurée de l'appui de notre délégation. Voulez-vous devenir membre de notre comité?

MONSIEUR PAPILLON: Il va encore y avoir du retard dans le travail. Mademoiselle Daisy, le courrier!

DAISY: Il faut savoir d'abord comment nous allons pouvoir sortir d'ici.

MONSIEUR PAPILLON: C'est un problème. Par la fenêtre.

> *Ils se dirigent tous vers la fenêtre, sauf Mme Bœuf, affalée sur sa chaise, et Botard qui restent au milieu du plateau.*

BOTARD: Je sais d'où cela vient.

DAISY, *à la fenêtre*: C'est trop haut.

BÉRENGER: Il faudrait peut-être appeler les pompiers, qu'ils viennent avec leurs échelles!

MONSIEUR PAPILLON: Mademoiselle Daisy, allez dans mon bureau et téléphonez aux pompiers.

> *M. Papillon fait mine de la suivre.*
> *Daisy sort par le fond, on l'enten-*
> *dra décrocher l'appareil, dire : « Allô !*
> *allô ! les pompiers ? » et un vague*
> *bruit de conversation téléphonique.*

MADAME BŒUF *se lève brusquement* : Je ne peux pas le laisser comme cela, je ne peux pas le laisser comme cela !

MONSIEUR PAPILLON : Si vous voulez divorcer… vous avez maintenant une bonne raison.

DUDARD : Ce sera certainement à ses torts.

MADAME BŒUF : Non ! le pauvre ! ce n'est pas le moment, je ne peux pas abandonner mon mari dans cet état.

BOTARD : Vous êtes une brave femme.

DUDARD, *à Mme Bœuf* : Mais qu'allez-vous faire ?

> *En courant vers la gauche, Mme*
> *Bœuf se précipite vers le palier.*

BÉRENGER : Attention !

MADAME BŒUF : Je ne peux pas l'abandonner, je ne peux pas l'abandonner.

DUDARD : Retenez-la.

MADAME BŒUF : Je l'emmène à la maison !

MONSIEUR PAPILLON : Qu'est-ce qu'elle veut faire ?

MADAME BŒUF, *se préparant à sauter ; au bord du palier* : Je viens, mon chéri, je viens.

BÉRENGER : Elle va sauter.

BOTARD : C'est son devoir.

DUDARD : Elle ne mourra pas.

> *Tous, sauf Daisy, qui téléphone*
> *toujours, se trouvent près d'elle sur*
> *le palier; Mme Bœuf saute; Béren-*
> *ger, qui tout de même essaye de la*
> *retenir, est resté avec sa jupe dans*
> *les mains.*

BÉRENGER : Je n'ai pas pu la retenir.

> *On entend, venant d'en bas, le*
> *rhinocéros barrir tendrement.*

MADAME BŒUF : Me voilà, mon chéri, me voilà.

DUDARD : Elle atterrit sur son dos, à califourchon.

BOTARD : C'est une amazone.

VOIX DE MADAME BŒUF : À la maison, mon chéri, rentrons.

DUDARD : Ils partent au galop.

> *Dudard, Bérenger, Botard, M. Pa-*
> *pillon reviennent sur le plateau, se*
> *mettent à fenêtre.*

BÉRENGER : Ils vont vite.

DUDARD, *à M. Papillon* : Vous avez déjà fait de l'équitation ?

MONSIEUR PAPILLON : Autrefois... un peu... *(Se tournant du côté de la porte du fond, à Dudard.)* Elle n'a pas fini de téléphoner !...

BÉRENGER, *suivant du regard le rhinocéros* : Ils sont déjà loin. On ne les voit plus.

DAISY, *sortant* : J'ai eu du mal à avoir les pompiers !...

BOTARD, *comme conclusion à un monologue inté-rieur*: C'est du propre!

DAISY: … J'ai eu du mal à avoir les pompiers.

MONSIEUR PAPILLON: Il y a le feu partout?

BÉRENGER: Je suis de l'avis de M. Botard. L'atti-tude de Mme Bœuf est vraiment touchante, elle a du cœur.

MONSIEUR PAPILLON: J'ai un employé en moins que je dois remplacer.

BÉRENGER: Vous croyez vraiment qu'il ne peut plus nous être utile?

DAISY: Non, il n'y a pas de feu, les pompiers ont été appelés pour d'autres rhinocéros.

BÉRENGER: Pour d'autres rhinocéros?

DUDARD: Comment, pour d'autres rhinocé-ros?

DAISY: Oui, pour d'autres rhinocéros. On en signale un peu partout dans la ville. Ce matin, il y en avait sept, maintenant il y en a dix-sept.

BOTARD: Qu'est-ce que je vous disais!

DAISY, *continuant*: Il y en aurait même trente-deux de signalés. Ce n'est pas encore officiel, mais ce sera certainement confirmé.

BOTARD, *moins convaincu*: Pfff! On exagère!

MONSIEUR PAPILLON: Est-ce qu'ils vont venir nous sortir de là?

BÉRENGER: Moi, j'ai faim!…

DAISY: Oui, ils vont venir, les pompiers sont en route!

MONSIEUR PAPILLON: Et le travail!

DUDARD: Je crois que c'est un cas de force majeure.

MONSIEUR PAPILLON : Il faudra rattraper les heures de travail perdues.

DUDARD : Alors, monsieur Botard, est-ce que vous niez toujours l'évidence rhinocérique ?

BOTARD : Notre délégation s'oppose à ce que vous renvoyiez M. Bœuf sans préavis.

MONSIEUR PAPILLON : Ce n'est pas à moi de décider, nous verrons bien les conclusions de l'enquête.

BOTARD, *à Dudard* : Non, monsieur Dudard, je ne nie pas l'évidence rhinocérique. Je ne l'ai jamais niée.

DUDARD : Vous êtes de mauvaise foi.

DAISY : Ah oui ! vous êtes de mauvaise foi.

BOTARD : Je répète que je ne l'ai jamais niée. Je tenais simplement à savoir jusqu'où cela pouvait aller. Mais moi, je sais à quoi m'en tenir. Je ne constate pas simplement le phénomène. Je le comprends, et je l'explique. Du moins, je pourrais l'expliquer si…

DUDARD : Mais expliquez-nous-le.

DAISY : Expliquez-le, monsieur Botard.

MONSIEUR PAPILLON : Expliquez-le puisque vos collègues vous le demandent.

BOTARD : Je vous l'expliquerai…

DUDARD : On vous écoute.

DAISY : Je suis bien curieuse.

BOTARD : Je vous l'expliquerai… un jour…

DUDARD : Pourquoi pas tout de suite ?

BOTARD, *à M. Papillon, menaçant* : Nous nous expliquerons bientôt, entre nous. (*À tous.*) Je connais le pourquoi des choses, les dessous de l'histoire…

DAISY : Quels dessous ?

BÉRENGER : Quels dessous ?

DUDARD : Je voudrais bien les connaître, les dessous...

BOTARD, *continuant, terrible* : Et je connais aussi les noms de tous les responsables. Les noms des traîtres. Je ne suis pas dupe. Je vous ferai connaître le but et la signification de cette provocation ! Je démasquerai les instigateurs.

BÉRENGER : Qui aurait intérêt à... ?

DUDARD, *à Botard* : Vous divaguez, monsieur Botard.

MONSIEUR PAPILLON : Ne divaguons point.

BOTARD : Moi, je divague, je divague ?

DAISY : Tout à l'heure, vous nous accusiez d'avoir des hallucinations.

BOTARD : Tout à l'heure, oui. Maintenant, l'hallucination est devenue provocation.

DUDARD : Comment s'est effectué ce passage, selon vous ?

BOTARD : C'est le secret de polichinelle, Messieurs ! Seuls les enfants n'y comprennent rien. Seuls les hypocrites font semblant de ne pas comprendre.

> *On entend le bruit et le signal de la voiture des pompiers qui arrive. On entend les freins de la voiture, qui stoppe brusquement sous la fenêtre.*

DAISY : Voilà les pompiers !

BOTARD : Il faudra que cela change, ça ne se passera pas comme cela.

DUDARD : Il n'y a aucune signification à cela, mon-

sieur Botard. Les rhinocéros existent, c'est tout. Ça
ne veut rien dire d'autre.

DAISY, *à la fenêtre, regardant en bas*: Par ici, messieurs les Pompiers.

> *On entend, en bas, un remue-
> ménage, un branle-bas, les bruits de
> la voiture.*

VOIX D'UN POMPIER: Installez l'échelle.

BOTARD, *à Dudard*: J'ai la clé des événements, un
système d'interprétation infaillible.

MONSIEUR PAPILLON: Il faudrait tout de même
revenir au bureau cet après-midi.

> *On voit l'échelle des pompiers se
> poser contre la fenêtre.*

BOTARD: Tant pis pour les affaires, monsieur
Papillon.

MONSIEUR PAPILLON: Que va dire la direction
générale?

DUDARD: C'est un cas exceptionnel.

BOTARD, *montrant la fenêtre*: On ne peut pas nous
obliger à reprendre le même chemin. Il faut attendre
qu'on répare l'escalier.

DUDARD: Si quelqu'un se casse une jambe, cela
pourrait créer des ennuis à la direction.

MONSIEUR PAPILLON: C'est juste.

> *On voit apparaître le casque d'un
> Pompier, puis le Pompier.*

BÉRENGER, *à Daisy, montrant la fenêtre*: Après vous,
mademoiselle Daisy.

LE POMPIER : Allons, Mademoiselle.

> *Le Pompier prend Mlle Daisy dans ses bras, par la fenêtre, que celle-ci escalade, et disparaîtra avec.*

DUDARD : Au revoir, mademoiselle Daisy. À bientôt.

DAISY, *disparaissant* : À bientôt, Messieurs !

MONSIEUR PAPILLON, *à la fenêtre* : Téléphonez-moi demain matin, Mademoiselle. Vous viendrez taper le courrier chez moi. *(À Bérenger.)* Monsieur Bérenger, je vous attire l'attention que nous ne sommes pas en vacances, et qu'on reprendra le travail dès que possible. *(Aux deux autres.)* Vous m'avez entendu, Messieurs ?

DUDARD : D'accord, monsieur Papillon.

BOTARD : Évidemment, on nous exploite jusqu'au sang !

LE POMPIER, *réapparaissant à la fenêtre* : À qui le tour ?

MONSIEUR PAPILLON, *s'adressant aux trois* : Allez-y.

DUDARD : Après vous, monsieur Papillon.

BÉRENGER : Après vous, monsieur le Chef.

BOTARD : Après vous, bien sûr.

MONSIEUR PAPILLON, *à Bérenger* : Apportez-moi le courrier de Mlle Daisy. Là, sur la table.

> *Bérenger va chercher le courrier, et l'apporte à M. Papillon.*

LE POMPIER : Allons, dépêchez-vous. On n'a pas le temps. Il y en a d'autres qui nous appellent.

BOTARD : Qu'est-ce que je vous disais ?

> *M. Papillon, le courrier sous le*
> *bras, escalade la fenêtre.*

MONSIEUR PAPILLON, *aux pompiers*: Attention aux dossiers. *(Se retournant vers Dudard, Botard et Bérenger.)* Messieurs, au revoir.

DUDARD: Au revoir, monsieur Papillon.

BÉRENGER: Au revoir, monsieur Papillon.

MONSIEUR PAPILLON *a disparu; on l'entend dire*: Attention, les papiers!

VOIX DE MONSIEUR PAPILLON: Dudard! Fermez les bureaux à clé!

DUDARD, *criant*: Ne vous inquiétez pas, monsieur Papillon. *(À Botard.)* Après vous, monsieur Botard.

BOTARD: Messieurs, je descends. Et de ce pas, je vais prendre contact avec les autorités compétentes. J'éluciderai ce faux mystère.

> *Il se dirige vers la fenêtre, pour*
> *l'escalader.*

DUDARD, *à Botard*: Je croyais que c'était déjà clair pour vous!

BOTARD, *escaladant la fenêtre*: Votre ironie ne me touche guère. Ce que je veux, c'est vous montrer les preuves, les documents, oui, les preuves de votre félonie.

DUDARD: C'est absurde…

BOTARD: Votre insulte…

DUDARD, *l'interrompant*: C'est vous qui m'insultez…

BOTARD, *disparaissant*: Je n'insulte pas. Je prouve.

VOIX DU POMPIER: Allez, allez…

DUDARD, *à Bérenger*: Que faites-vous cet après-midi? On pourrait boire un coup.

BÉRENGER: Je m'excuse. Je vais profiter de cet après-midi libre pour aller voir mon ami Jean. Je veux me réconcilier avec lui, tout de même. On s'était fâchés. J'ai eu des torts.

> *La tête du Pompier réapparaît à la fenêtre.*

LE POMPIER: Allons, allons…

BÉRENGER, *montrant la fenêtre*: Après vous.

DUDARD, *à Bérenger*: Après vous.

BÉRENGER, *à Dudard*: Oh! non, après vous.

DUDARD, *à Bérenger*: Pas du tout, après vous.

BÉRENGER, *à Dudard*: Je vous en prie, après vous, après vous.

LE POMPIER: Dépêchons, dépêchons.

DUDARD, *à Bérenger*: Après vous, après vous.

BÉRENGER, *à Dudard*: Après vous, après vous.

> *Ils escaladent la fenêtre en même temps. Le Pompier les aide à descendre, tandis que le rideau tombe.*

FIN DU TABLEAU

Deuxième tableau

Décor

Chez Jean. La structure du dispositif est à peu près la même qu'au premier tableau de ce deuxième acte. C'est-

*à-dire que le plateau est partagé en deux. À droite, occu-
pant les trois quarts ou les quatre cinquièmes du plateau,
selon la largeur de celui-ci, on voit la chambre de Jean. Au
fond, contre le mur, le lit de Jean, dans lequel celui-ci
est couché. Au milieu du plateau, une chaise ou un fauteuil, dans lequel Bérenger viendra s'installer. À droite, au
milieu, une porte donnant sur le cabinet de toilette de
Jean. Lorsque Jean ira faire sa toilette, on entendra le
bruit de l'eau du robinet, celui de la douche. À gauche
de la chambre, une cloison sépare le plateau en deux. Au
milieu, la porte donnant sur l'escalier. Si on veut faire un
décor moins réaliste, un décor stylisé, on peut mettre simplement la porte sans cloison. À gauche du plateau, on
voit l'escalier, les dernières marches menant à l'appartement de Jean, la rampe, le haut du palier. Dans le fond,
à la hauteur de ce palier, une porte de l'appartement des
voisins. Plus bas, dans le fond, le haut d'une porte vitrée,
au-dessus de laquelle on voit écrit* Concierge.

    *Au lever du rideau, Jean, dans son lit, est couché sous
sa couverture, dos au public. On l'entend tousser. Au bout
de quelques instants, on voit Bérenger paraître, montant
les dernières marches de l'escalier. Il frappe à la porte,
Jean ne répond pas. Bérenger frappe de nouveau.*

BÉRENGER : Jean ! *(Il frappe de nouveau.)* Jean !

           *La porte du fond du palier s'en-
           trouvre, apparaît un petit vieux à
           barbiche blanche.*

LE PETIT VIEUX : Qu'est-ce qu'il y a ?
BÉRENGER : Je viens voir Jean, M. Jean, mon ami.
LE PETIT VIEUX : Je croyais que c'était pour moi.
Moi aussi, je m'appelle Jean, alors c'est l'autre.

VOIX DE LA FEMME DU VIEUX, *du fond de la pièce*: C'est pour nous?

LE PETIT VIEUX, *se retournant vers sa femme que l'on ne voit pas*: C'est pour l'autre.

BÉRENGER, *frappant*: Jean.

LE PETIT VIEUX: Je ne l'ai pas vu sortir. Je l'ai vu hier soir. Il n'avait pas l'air de bonne humeur.

BÉRENGER: Je sais pourquoi, c'est ma faute.

LE PETIT VIEUX: Peut-être ne veut-il pas ouvrir. Essayez encore.

VOIX DE LA FEMME DU VIEUX: Jean! ne bavarde pas, Jean.

BÉRENGER, *frappant*: Jean!

LE PETIT VIEUX, *à sa femme*: Une seconde. Ah! là là…

> *Il referme la porte et disparaît.*

JEAN, *toujours couché, dos au public, d'une voix rauque*: Qu'est-ce qu'il y a?

BÉRENGER: Je suis venu vous voir, mon cher Jean.

JEAN: Qui est là?

BÉRENGER: Moi, Bérenger. Je ne vous dérange pas?

JEAN: Ah! c'est vous? Entrez.

BÉRENGER, *essayant d'ouvrir*: La porte est fermée.

JEAN: Une seconde. Ah! là là… *(Jean se lève d'assez mauvaise humeur en effet. Il a un pyjama vert, les cheveux ébouriffés.)* Une seconde. *(Il tourne la clé dans la serrure.)* Une seconde. *(Il va se coucher de nouveau, se met sous la couverture, comme avant.)* Entrez.

BÉRENGER, *entrant*: Bonjour, Jean.

JEAN, *dans son lit* : Quelle heure est-il ? Vous n'êtes pas au bureau ?

BÉRENGER : Vous êtes encore couché, vous n'êtes pas au bureau ? Excusez-moi, je vous dérange peut-être.

JEAN, *toujours de dos* : C'est curieux, je ne reconnaissais pas votre voix.

BÉRENGER : Moi non plus, je ne reconnaissais pas votre voix.

JEAN, *toujours de dos* : Asseyez-vous.

BÉRENGER : Vous êtes malade ? *(Jean répond par un grognement.)* Vous savez, Jean, j'ai été stupide de me fâcher avec vous, pour une histoire pareille.

JEAN : Quelle histoire ?

BÉRENGER : Hier…

JEAN : Quand hier ? Où hier ?

BÉRENGER : Vous avez oublié ? C'était à propos de ce rhinocéros, de ce malheureux rhinocéros.

JEAN : Quel rhinocéros ?

BÉRENGER : Le rhinocéros, ou si vous voulez, ces deux malheureux rhinocéros que nous avons aperçus.

JEAN : Ah ! oui, je me souviens… Qui vous a dit que ces deux rhinocéros étaient malheureux ?

BÉRENGER : C'est une façon de parler.

JEAN : Bon. N'en parlons plus.

BÉRENGER : Vous êtes bien gentil.

JEAN : Et alors ?

BÉRENGER : Je tiens quand même à vous dire que je regrette d'avoir soutenu… avec acharnement, avec entêtement… avec colère. oui, bref, bref… J'ai été stupide.

JEAN : Ça ne m'étonne pas de vous.

BÉRENGER : Excusez-moi.

JEAN : Je ne me sens pas très bien.

Il tousse.

BÉRENGER : C'est la raison, sans doute, pour laquelle vous êtes au lit. *(Changeant de ton.)* Vous savez, Jean, nous avions raison tous les deux.

JEAN : À quel propos ?

BÉRENGER : Au sujet de… la même chose. Encore une fois, excusez-moi d'y revenir, je ne m'y étendrai pas longtemps. Je tiens donc à vous dire, mon cher Jean, que, chacun à sa façon, nous avions raison tous les deux. Maintenant, c'est prouvé. Il y a dans la ville des rhinocéros à deux cornes aussi bien que des rhinocéros à une corne.

JEAN : C'est ce que je vous disais ! Eh bien, tant pis.

BÉRENGER : Oui, tant pis.

JEAN : Ou tant mieux, c'est selon.

BÉRENGER, *continuant* : D'où viennent les uns, d'où viennent les autres, ou, d'où viennent les autres, d'où viennent les uns, cela importe peu au fond. La seule chose qui compte à mes yeux, c'est l'existence du rhinocéros en soi, car…

JEAN, *se retournant et s'asseyant sur son lit défait, face à Bérenger* : Je ne me sens pas très bien, je ne me sens pas très bien !

BÉRENGER : J'en suis désolé ! Qu'avez-vous donc ?

JEAN : Je ne sais pas trop, un malaise, des malaises…

BÉRENGER : Des faiblesses ?

JEAN : Pas du tout. Ça bouillonne au contraire.

BÉRENGER : Je veux dire… une faiblesse passagère. Ça peut arriver à tout le monde.

JEAN : À moi, jamais.

BÉRENGER : Peut-être un excès de santé, alors. Trop d'énergie, ça aussi c'est mauvais parfois. Ça déséquilibre le système nerveux.

JEAN : J'ai un équilibre parfait. *(La voix de Jean se fait de plus en plus rauque.)* Je suis sain d'esprit et de corps. Mon hérédité…

BÉRENGER : Bien sûr, bien sûr. Peut-être avez-vous pris froid quand même. Avez-vous de la fièvre ?

JEAN : Je ne sais pas. Si, sans doute un peu de fièvre. J'ai mal à la tête.

BÉRENGER : Une petite migraine. Je vais vous laisser, si vous voulez.

JEAN : Restez. Vous ne me gênez pas.

BÉRENGER : Vous êtes enroué, aussi.

JEAN : Enroué ?

BÉRENGER : Un peu enroué, oui. C'est pour cela que je ne reconnaissais pas votre voix.

JEAN : Pourquoi serais-je enroué ? Ma voix n'a pas changé, c'est plutôt la vôtre qui a changé.

BÉRENGER : La mienne ?

JEAN : Pourquoi pas ?

BÉRENGER : C'est possible. Je ne m'en étais pas aperçu.

JEAN : De quoi êtes-vous capable de vous apercevoir ? *(Mettant la main à son front.)* C'est le front plus précisément qui me fait mal. Je me suis cogné, sans doute !

Sa voix est encore plus rauque.

BÉRENGER : Quand vous êtes-vous cogné ?

JEAN : Je ne sais pas. Je ne m'en souviens pas.

BÉRENGER : Vous auriez eu mal.

JEAN : Je me suis peut-être cogné en dormant.

BÉRENGER : Le choc vous aurait réveillé. Vous aurez sans doute simplement rêvé que vous vous êtes cogné.

JEAN : Je ne rêve jamais…

BÉRENGER, *continuant* : Le mal de tête a dû vous prendre pendant votre sommeil, vous avez oublié d'avoir rêvé, ou plutôt vous vous en souvenez inconsciemment !

JEAN : Moi, inconsciemment ? Je suis maître de mes pensées, je ne me laisse pas aller à la dérive. Je vais tout droit, je vais toujours tout droit.

BÉRENGER : Je le sais. Je ne me suis pas fait comprendre.

JEAN : Soyez plus clair. Ce n'est pas la peine de me dire des choses désagréables.

BÉRENGER : On a souvent l'impression qu'on s'est cogné, quand on a mal à la tête. *(S'approchant de Jean.)* Si vous vous étiez cogné, vous devriez avoir une bosse. *(Regardant Jean.)* Si, tiens, vous en avez une, vous avez une bosse en effet.

JEAN : Une bosse ?

BÉRENGER : Une toute petite.

JEAN : Où ?

BÉRENGER, *montrant le front de Jean* : Tenez, elle pointe juste au-dessus de votre nez.

JEAN : Je n'ai point de bosse. Dans ma famille, on n'en a jamais eu.

BÉRENGER : Avez-vous une glace ?

JEAN : Ah ça alors ! *(Se tâtant le front.)* On dirait bien pourtant. Je vais voir, dans la salle de bains. *(Il se*

*lève brusquement et se dirige vers la salle de bains.
Bérenger le suit du regard. De la salle de bains :)* C'est
vrai, j'ai une bosse. *(Il revient, son teint est devenu plus
verdâtre.)* Vous voyez bien que je me suis cogné.

BÉRENGER : Vous avez mauvaise mine, votre teint
est verdâtre.

JEAN : Vous adorez me dire des choses désagréables. Et vous, vous êtes-vous regardé ?

BÉRENGER : Excusez-moi, je ne veux pas vous faire
de la peine.

JEAN, *très ennuyé* : On ne le dirait pas.

BÉRENGER : Votre respiration est très bruyante.
Avez-vous mal à la gorge ? *(Jean va de nouveau s'asseoir sur son lit.)* Avez-vous mal à la gorge ? c'est peut-
être une angine.

JEAN : Pourquoi aurais-je une angine ?

BÉRENGER : Ça n'est pas infamant, moi aussi j'ai eu
des angines. Permettez que je prenne votre pouls.

> *Bérenger se lève, il va prendre le
> pouls de Jean.*

JEAN, *d'une voix encore plus rauque* : Oh ! ça ira.

BÉRENGER : Votre pouls bat à un rythme tout à
fait régulier. Ne vous effrayez pas.

JEAN : Je ne suis pas effrayé du tout, pourquoi le
serais-je ?

BÉRENGER : Vous avez raison. Quelques jours de
repos et ce sera fini.

JEAN : Je n'ai pas le temps de me reposer. Je dois
chercher ma nourriture.

BÉRENGER : Vous n'avez pas grand-chose, puisque
vous avez faim. Cependant, vous devriez quand même

vous reposer quelques jours. Ce sera plus prudent. Avez-vous fait venir le médecin ?

JEAN : Je n'ai pas besoin de médecin.

BÉRENGER : Si, il faut faire venir le médecin.

JEAN : Vous n'allez pas faire venir le médecin, puisque je ne veux pas faire venir le médecin. Je me soigne tout seul.

BÉRENGER : Vous avez tort de ne pas croire à la médecine.

JEAN : Les médecins inventent des maladies qui n'existent pas.

BÉRENGER : Cela part d'un bon sentiment. C'est pour le plaisir de soigner les gens.

JEAN : Ils inventent les maladies, ils inventent les maladies !

BÉRENGER : Peut-être les inventent-ils. Mais ils guérissent les maladies qu'ils inventent.

JEAN : Je n'ai confiance que dans les vétérinaires.

BÉRENGER, *qui avait lâché le poignet de Jean, le prend de nouveau* : Vos veines ont l'air de se gonfler. Elles sont saillantes.

JEAN : C'est un signe de force.

BÉRENGER : Évidemment, c'est un signe de santé et de force. Cependant...

> *Il observe de plus près l'avant-bras de Jean, malgré celui-ci, qui réussit à le retirer violemment.*

JEAN : Qu'avez-vous à m'examiner comme une bête curieuse ?

BÉRENGER : Votre peau...

JEAN: Qu'est-ce qu'elle peut vous faire ma peau? Est-ce que je m'occupe de votre peau?

BÉRENGER: On dirait… oui, on dirait qu'elle change de couleur à vue d'œil. Elle verdit. *(Il veut reprendre la main de Jean.)* Elle durcit aussi.

JEAN, *retirant de nouveau sa main*: Ne me tâtez pas comme ça. Qu'est-ce qu'il vous prend? Vous m'ennuyez.

BÉRENGER, *pour lui*: C'est peut-être plus grave que je ne croyais. *(À Jean.)* Il faut appeler le médecin.

Il se dirige vers le téléphone.

JEAN: Laissez cet appareil tranquille. *(Il se précipite vers Bérenger et le repousse. Bérenger chancelle.)* Mêlez-vous de ce qui vous regarde.

BÉRENGER: Bon, bon. C'était pour votre bien.

JEAN, *toussant et respirant bruyamment*: Je connais mon bien mieux que vous.

BÉRENGER: Vous ne respirez pas facilement.

JEAN: On respire comme on peut! Vous n'aimez pas ma respiration, moi je n'aime pas la vôtre. Vous respirez trop faiblement, on ne vous entend même pas, on dirait que vous allez mourir d'un instant à l'autre.

BÉRENGER: Sans doute n'ai-je pas votre force.

JEAN: Est-ce que je vous envoie, vous, chez le médecin pour qu'il vous en donne? Chacun fait ce qu'il veut!

BÉRENGER: Ne vous mettez pas en colère contre moi. Vous savez bien que je suis votre ami.

JEAN: L'amitié n'existe pas. Je ne crois pas en votre amitié.

BÉRENGER : Vous me vexez.

JEAN : Vous n'avez pas à vous vexer.

BÉRENGER : Mon cher Jean...

JEAN : Je ne suis pas votre cher Jean.

BÉRENGER : Vous êtes bien misanthrope aujourd'hui.

JEAN : Oui, je suis misanthrope, misanthrope, misanthrope, ça me plaît d'être misanthrope.

BÉRENGER : Vous m'en voulez sans doute encore, pour notre sotte querelle d'hier, c'était ma faute, je le reconnais. Et justement j'étais venu pour m'excuser...

JEAN : De quelle querelle parlez-vous ?

BÉRENGER : Je viens de vous le rappeler. Vous savez, le rhinocéros !

JEAN, *sans écouter Bérenger* : À vrai dire, je ne déteste pas les hommes, ils me sont indifférents, ou bien ils me dégoûtent, mais qu'ils ne se mettent pas en travers de ma route, je les écraserais.

BÉRENGER : Vous savez bien que je ne serai jamais un obstacle...

JEAN : J'ai un but, moi. Je fonce vers lui.

BÉRENGER : Vous avez raison certainement. Cependant, je crois que vous passez par une crise morale. *(Depuis un instant, Jean parcourt la chambre, comme une bête en cage, d'un mur à l'autre. Bérenger l'observe, s'écarte de temps en temps, légèrement, pour l'éviter. La voix de Jean est toujours de plus en plus rauque.)* Ne vous énervez pas, ne vous énervez pas.

JEAN : Je me sentais mal à l'aise dans mes vêtements, maintenant mon pyjama aussi me gêne !

*Il entrouvre et referme la veste
de son pyjama.*

BÉRENGER: Ah! mais, qu'est-ce qu'elle a votre peau?

JEAN: Encore ma peau? C'est ma peau, je ne la changerai certainement pas contre la vôtre.

BÉRENGER: On dirait du cuir.

JEAN: C'est plus solide. Je résiste aux intempéries.

BÉRENGER: Vous êtes de plus en plus vert.

JEAN: Vous avez la manie des couleurs aujourd'hui. Vous avez des visions, vous avez encore bu.

BÉRENGER: J'ai bu hier, plus aujourd'hui.

JEAN: C'est le résultat de tout un passé de débauches.

BÉRENGER: Je vous ai promis de m'amender, vous le savez bien, car moi, j'écoute les conseils d'amis comme vous. Je ne m'en sens pas humilié, au contraire.

JEAN: Je m'en fiche. Brrr…

BÉRENGER: Que dites-vous?

JEAN: Je ne dis rien. Je fais brrr… ça m'amuse.

BÉRENGER, *regardant Jean dans les yeux*: Savez-vous ce qui est arrivé à Bœuf? Il est devenu rhinocéros.

JEAN: Qu'est-il arrivé à Bœuf?

BÉRENGER: Il est devenu rhinocéros.

JEAN, *s'éventant avec les pans de sa veste*: Brrr…

BÉRENGER: Ne plaisantez plus, voyons.

JEAN: Laissez-moi donc souffler. J'en ai bien le droit. Je suis chez moi.

BÉRENGER: Je ne dis pas le contraire.

JEAN : Vous faites bien de ne pas me contredire. J'ai chaud, j'ai chaud. Brrr... Une seconde. Je vais me rafraîchir.

BÉRENGER, *tandis que Jean se précipite dans la salle de bains* : C'est la fièvre.

> *Jean est dans la salle de bains, on l'entend souffler, et on entend aussi couler l'eau d'un robinet.*

JEAN, *à côté* : Brrr...

BÉRENGER : Il a des frissons. Tant pis, je téléphone au médecin.

> *Il se dirige de nouveau vers le téléphone, puis se retire brusquement, lorsqu'il entend la voix de Jean.*

JEAN : Alors, ce brave Bœuf est devenu rhinocéros. Ah ! ah ! ah !... Il s'est moqué de vous, il s'est déguisé. (*Il sort sa tête par l'entrebâillement de la porte de la salle de bains. Il est très vert. Sa bosse est un peu plus grande, au-dessus du nez.*) Il s'est déguisé.

BÉRENGER, *se promenant dans la pièce, sans regarder Jean* : Je vous assure que ça avait l'air très sérieux.

JEAN : Eh bien, ça le regarde.

BÉRENGER, *se tournant vers Jean qui disparaît dans la salle de bains* : Il ne l'a sans doute pas fait exprès. Le changement s'est fait contre sa volonté.

JEAN, *à côté* : Qu'est-ce que vous en savez ?

BÉRENGER : Du moins, tout nous le fait supposer.

JEAN : Et s'il l'avait fait exprès ? Hein, s'il l'avait fait exprès ?

BÉRENGER : Ça m'étonnerait. Du moins, Mme Bœuf n'avait pas l'air du tout d'être au courant...

JEAN, *d'une voix rauque* : Ah ! ah ! ah ! Cette grosse Mme Bœuf ! Ah ! là là ! C'est une idiote !

BÉRENGER : Idiote, ou non...

JEAN, *il entre rapidement, enlève sa veste qu'il jette sur le lit, tandis que Bérenger se tourne discrètement. Jean, qui a la poitrine et le dos verts, rentre de nouveau dans la salle de bains. Rentrant et sortant* : Bœuf ne mettait jamais sa femme au courant de ses projets...

BÉRENGER : Vous vous trompez, Jean. C'est un ménage très uni, au contraire.

JEAN : Très uni, vous en êtes sûr ? Hum, hum. Brrr...

BÉRENGER, *se dirigeant vers la salle de bains dont Jean lui claque la porte au nez* : Très uni. La preuve, c'est que...

JEAN, *de l'autre côté* : Bœuf avait sa vie personnelle. Il s'était réservé un coin secret, dans le fond de son cœur.

BÉRENGER : Je ne devrais pas vous faire parler, ça a l'air de vous faire du mal.

JEAN : Ça me dégage, au contraire.

BÉRENGER : Laissez-moi appeler le médecin, tout de même, je vous en prie.

JEAN : Je vous l'interdis absolument. Je n'aime pas les gens têtus. (*Jean entre dans la chambre. Bérenger recule un peu effrayé, car Jean est encore plus vert, et il parle avec beaucoup de peine. Sa voix est méconnaissable.*) Et alors, s'il est devenu rhinocéros de plein gré ou contre sa volonté, ça vaut peut-être mieux pour lui.

BÉRENGER : Que dites-vous là, cher ami ? Comment pouvez-vous penser...

JEAN : Vous voyez le mal partout. Puisque ça lui fait plaisir de devenir rhinocéros, puisque ça lui fait plaisir ! Il n'y a rien d'extraordinaire à cela.

BÉRENGER : Évidemment, il n'y a rien d'extraordinaire à cela. Pourtant, je doute que ça lui fasse tellement plaisir.

JEAN : Et pourquoi donc ?

BÉRENGER : Il m'est difficile de dire pourquoi. Ça se comprend.

JEAN : Je vous dis que ce n'est pas si mal que ça ! Après tout, les rhinocéros sont des créatures comme nous, qui ont droit à la vie au même titre que nous !

BÉRENGER : À condition qu'elles ne détruisent pas la nôtre. Vous rendez-vous compte de la différence de mentalité ?

JEAN, *allant et venant dans la pièce, entrant dans la salle de bains, et sortant* : Pensez-vous que la nôtre soit préférable ?

BÉRENGER : Tout de même, nous avons notre morale à nous, que je juge incompatible avec celle de ces animaux.

JEAN : La morale ! Parlons-en de la morale, j'en ai assez de la morale, elle est belle la morale ! Il faut dépasser la morale.

BÉRENGER : Que mettriez-vous à la place ?

JEAN, *même jeu* : La nature !

BÉRENGER : La nature ?

JEAN, *même jeu* : La nature a ses lois. La morale est antinaturelle.

BÉRENGER: Si je comprends, vous voulez remplacer la loi morale par la loi de la jungle!

JEAN: J'y vivrai, j'y vivrai.

BÉRENGER: Cela se dit. Mais dans le fond, personne...

JEAN, *l'interrompant, et allant et venant*: Il faut reconstituer les fondements de notre vie. Il faut retourner à l'intégrité primordiale.

BÉRENGER: Je ne suis pas du tout d'accord avec vous.

JEAN, *soufflant bruyamment*: Je veux respirer.

BÉRENGER: Réfléchissez, voyons, vous vous rendez bien compte que nous avons une philosophie que ces animaux n'ont pas, un système de valeurs irremplaçable. Des siècles de civilisation humaine l'ont bâti!...

JEAN, *toujours dans la salle de bains*: Démolissons tout cela, on s'en portera mieux.

BÉRENGER: Je ne vous prends pas au sérieux. Vous plaisantez, vous faites de la poésie.

JEAN: Brrr...

Il barrit presque.

BÉRENGER: Je ne savais pas que vous étiez poète.

JEAN, *il sort de la salle de bains*: Brrr...

Il barrit de nouveau.

BÉRENGER: Je vous connais trop bien pour croire que c'est là votre pensée profonde. Car, vous le savez aussi bien que moi, l'homme...

JEAN, *l'interrompant*: L'homme... Ne prononcez plus ce mot!

BÉRENGER : Je veux dire l'être humain, l'humanisme…

JEAN : L'humanisme est périmé ! Vous êtes un vieux sentimental ridicule.

Il entre dans la salle de bains.

BÉRENGER : Enfin, tout de même, l'esprit…

JEAN, *dans la salle de bains* : Des clichés ! vous me racontez des bêtises.

BÉRENGER : Des bêtises !

JEAN, *de la salle de bains, d'une voix très rauque difficilement compréhensible* : Absolument.

BÉRENGER : Je suis étonné de vous entendre dire cela, mon cher Jean ! Perdez-vous la tête ? Enfin, aimeriez-vous être rhinocéros ?

JEAN : Pourquoi pas ! Je n'ai pas vos préjugés.

BÉRENGER : Parlez plus distinctement. Je ne comprends pas. Vous articulez mal.

JEAN, *toujours de la salle de bains* : Ouvrez vos oreilles !

BÉRENGER : Comment ?

JEAN : Ouvrez vos oreilles. J'ai dit, pourquoi ne pas être un rhinocéros ? J'aime les changements.

BÉRENGER : De telles affirmations venant de votre part… *(Bérenger s'interrompt, car Jean fait une apparition effrayante. En effet, Jean est devenu tout à fait vert. La bosse de son front est presque devenue une corne de rhinocéros.)* Oh ! vous semblez vraiment perdre la tête ! *(Jean se précipite vers son lit, jette les couvertures par terre, prononce des paroles furieuses et incompréhensibles, fait entendre des sons inouïs.)* Mais ne soyez pas si furieux, calmez-vous ! Je ne vous reconnais plus.

JEAN, *à peine distinctement*: Chaud... trop chaud. Démolir tout cela, vêtements, ça gratte, vêtements, ça gratte.

> *Il fait tomber le pantalon de son pyjama.*

BÉRENGER: Que faites-vous? Je ne vous reconnais plus! Vous, si pudique d'habitude!

JEAN: Les marécages! les marécages!...

BÉRENGER: Regardez-moi! Vous ne semblez plus me voir! Vous ne semblez plus m'entendre!

JEAN: Je vous entends très bien! Je vous vois très bien!

> *Il fonce vers Bérenger tête baissée. Celui-ci s'écarte.*

BÉRENGER: Attention!

JEAN, *soufflant bruyamment*: Pardon!

> *Puis il se précipite à toute vitesse dans la salle de bains.*

BÉRENGER *fait mine de fuir vers la porte de gauche, puis fait demi-tour et va dans la salle de bains à la suite de Jean, en disant*: Je ne peux tout de même pas le laisser comme cela, c'est un ami. *(De la salle de bains.)* Je vais appeler le médecin! C'est indispensable, indispensable, croyez-moi.

JEAN, *dans la salle de bains*: Non.

BÉRENGER, *dans la salle de bains*: Si. Calmez-vous, Jean! Vous êtes ridicule. Oh! votre corne s'allonge à vue d'œil!... Vous êtes rhinocéros.

JEAN, *dans la salle de bains*: Je te piétinerai, je te piétinerai.

> *Grand bruit dans la salle de bains, barrissements, bruits d'objets et d'une glace qui tombe et se brise; puis on voit apparaître Bérenger tout effrayé qui ferme avec peine la porte de la salle de bains, malgré la poussée contraire que l'on devine.*

BÉRENGER, *poussant la porte*: Il est rhinocéros, il est rhinocéros! (*Bérenger a réussi à fermer la porte. Son veston est troué par une corne. Au moment où Bérenger a réussi à fermer la porte, la corne du rhinocéros a traversé celle-ci. Tandis que la porte s'ébranle sous la poussée continuelle de l'animal, et que le vacarme dans la salle de bains continue et que l'on entend des barrissements mêlés à des mots à peine distincts, comme: je rage, salaud, etc., Bérenger se précipite vers la porte de droite.*) Jamais je n'aurais cru ça de lui! (*Il ouvre la porte donnant sur l'escalier, et va frapper à la porte sur le palier, à coups de poing répétés.*) Vous avez un rhinocéros dans l'immeuble! Appelez la police!

LE PETIT VIEUX, *sortant sa tête*: Qu'est-ce que vous avez?

BÉRENGER: Appelez la police! Vous avez un rhinocéros dans la maison!...

VOIX DE LA FEMME DU PETIT VIEUX: Qu'est-ce qu'il y a, Jean? Pourquoi fais-tu du bruit?

LE PETIT VIEUX, *à sa femme*: Je ne sais pas ce qu'il raconte. Il a vu un rhinocéros.

BÉRENGER : Oui, dans la maison. Appelez la police !

LE PETIT VIEUX : Qu'est-ce que vous avez à déranger les gens comme cela ? En voilà des manières !

Il lui ferme la porte au nez.

BÉRENGER, *se précipitant dans l'escalier :* Concierge, concierge, vous avez un rhinocéros dans la maison, appelez la police ! Concierge ! *(On voit s'ouvrir le haut de la porte de la loge de la concierge ; apparaît une tête de rhinocéros.)* Encore un ! *(Bérenger remonte à toute allure les marches de l'escalier. Il veut entrer dans la chambre de Jean, hésite, puis se dirige de nouveau vers la porte du Petit Vieux. À ce moment la porte du Petit Vieux s'ouvre et apparaissent deux petites têtes de rhinocéros.)* Mon Dieu ! Ciel ! *(Bérenger entre dans la chambre de Jean tandis que la porte de la salle de bains continue d'être secouée. Bérenger se dirige vers la fenêtre, qui est indiquée par un simple encadrement, sur le devant de la scène, face au public. Il est à bout de force, manque de défaillir, bredouille :)* Ah mon Dieu ! Ah mon Dieu ! *(Il fait un grand effort, se met à enjamber la fenêtre, passe presque de l'autre côté, c'est-à-dire vers la salle, et remonte vivement, car au même instant on voit apparaître, de la fosse d'orchestre, la parcourant à toute vitesse, une grande quantité de cornes de rhinocéros à la file. Bérenger remonte le plus vite qu'il peut et regarde un instant par la fenêtre.)* Il y en a tout un troupeau maintenant dans la rue ! Une armée de rhinocéros, ils dévalent l'avenue en pente !... *(Il regarde de tous les côtés.)* Par où sortir, par où sortir !... Si encore ils se contentaient du milieu de la rue ! Ils débordent sur le trottoir, par où sortir, par où partir ! *(Affolé, il se dirige vers toutes les portes, et vers la fenêtre, tour à tour, tandis que la porte de la salle de bains continue de s'ébranler et que l'on entend Jean barrir et proférer des injures incompréhensibles. Le jeu continue quelques instants : chaque fois que dans ses tentatives désordonnées de fuite, Bérenger se trouve devant la porte des Vieux, ou sur les marches de l'escalier, il est accueilli par des têtes de rhinocéros qui barrissent et le font reculer. Il va une dernière fois vers la fenêtre, regarde.)* Tout un troupeau de rhinocéros ! Et on disait que c'est un animal solitaire ! C'est faux, il faut réviser cette conception ! Ils ont démoli tous les bancs de l'avenue. *(Il se tord les mains.)* Comment faire ? *(Il se dirige de nouveau vers les différentes sorties, mais la vue des rhinocéros l'en empêche. Lorsqu'il se trouve de nouveau devant la porte de la salle de bains, celle-ci menace de céder. Bérenger se jette contre le mur du fond qui cède ; on voit la rue dans le fond, il s'enfuit en criant.)* Rhinocéros ! Rhinocéros ! *(Bruits, la porte de la salle de bains va céder.)*

RIDEAU

Acte III

Décor

À peu près la même plantation qu'au tableau précédent. C'est la chambre de Bérenger, qui ressemble étonnamment à celle de Jean. Quelques détails seulement, un ou deux meubles en plus indiqueront qu'il s'agit d'une autre chambre. L'escalier à gauche, palier. Porte au fond du palier. Il n'y a pas la loge de la concierge. Divan au fond. Bérenger est allongé sur son divan, dos au public. Un fauteuil, une petite table avec téléphone. Une table supplémentaire peut-être, et une chaise. Fenêtre au fond, ouverte. Encadrement d'une fenêtre à l'avant-scène. Bérenger est habillé sur son divan. Il a la tête bandée. Il doit faire de mauvais rêves, car il s'agite dans son sommeil.

BÉRENGER : Non. *(Pause.)* Les cornes, gare aux cornes ! *(Pause. On entend les bruits d'un assez grand nombre de rhinocéros qui passent sous la fenêtre du fond.)* Non ! *(Il tombe par terre, en se débattant contre ce qu'il voit en rêve, et se réveille. Il met la main à son front, l'air effrayé, puis se dirige vers la glace, soulève son*

bandage tandis que les bruits s'éloignent. Il pousse un
soupir de soulagement car il s'aperçoit qu'il n'a pas de
bosse. Il hésite, va vers le divan, s'allonge, puis se relève
tout de suite. Il se dirige vers la table d'où il prend une
bouteille de cognac et un verre, fait mine de se verser à
boire. Puis après un court débat muet, il va de nouveau
poser la bouteille et le verre à leur place.) De la volonté,
de la volonté. *(Il veut se diriger de nouveau vers son*
divan, mais on entend de nouveau la course des rhinocé-
ros sous la fenêtre du fond. Bérenger met la main à son
cœur.) Oh! *(Il se dirige vers la fenêtre, du fond, regarde*
un instant, puis, avec énervement, il ferme la fenêtre du
fond. Les bruits cessent, il se dirige vers la petite table,
hésite un instant, puis, avec un geste qui signifie: « tant
pis », il se verse à boire un grand verre de cognac qu'il boit
d'un trait. Il remet la bouteille et le verre en place. Il
tousse. Sa propre toux a l'air de l'inquiéter, il tousse
encore, et s'écoute tousser. Il se regarde de nouveau une
seconde dans la glace, en toussant, ouvre la fenêtre, les
souffles des fauves s'entendent plus fort, il tousse de nou-
veau.) Non. Pas pareil!

> *Il se calme, ferme la fenêtre, se*
> *tâte le front par-dessus son ban-*
> *dage, va vers son divan, a l'air de*
> *s'endormir. On voit Dudard monter*
> *les dernières marches de l'escalier,*
> *arriver sur le palier et frapper à la*
> *porte de Bérenger.*

BÉRENGER, *sursautant*: Qu'est-ce qu'il y a?

DUDARD: Je suis venu vous voir, Bérenger, je suis
venu vous voir.

BÉRENGER : Qui est là ?

DUDARD : C'est moi, c'est moi.

BÉRENGER : Qui ça, moi ?

DUDARD : Moi, Dudard.

BÉRENGER : Ah ! c'est vous, entrez.

DUDARD : Je ne vous dérange pas ? *(Il essaye d'ou-vrir.)* La porte est fermée.

BÉRENGER : Une seconde. Ah ! là là.

Il va ouvrir, Dudard entre.

DUDARD : Bonjour, Bérenger.

BÉRENGER : Bonjour, Dudard, quelle heure est-il ?

DUDARD : Alors, toujours là, à rester barricadé chez vous. Allez-vous mieux, mon cher ?

BÉRENGER : Excusez-moi, je ne reconnaissais pas votre voix. *(Bérenger va aussi ouvrir la fenêtre.)* Oui, oui, ça va un peu mieux, j'espère.

DUDARD : Ma voix n'a pas changé. Moi, j'ai bien reconnu la vôtre.

BÉRENGER : Excusez-moi, il m'avait semblé… en effet, votre voix est bien la même. Ma voix non plus n'a pas changé, n'est-ce pas ?

DUDARD : Pourquoi aurait-elle changé ?

BÉRENGER : Je ne suis pas un peu… un peu enroué ?

DUDARD : Je n'ai pas du tout cette impression.

BÉRENGER : Tant mieux. Vous me rassurez.

DUDARD : Qu'est-ce qu'il vous prend ?

BÉRENGER : Je ne sais pas, on ne sait jamais. Une voix peut changer, cela arrive, hélas !

DUDARD : Auriez-vous attrapé froid aussi ?

BÉRENGER : J'espère bien que non, mais asseyez-vous, Dudard, installez-vous. Prenez le fauteuil.

DUDARD, *s'installant dans le fauteuil*: Vous ne vous sentez toujours pas bien ? Vous avez toujours mal à la tête ?

> *Il montre le bandage de Bérenger.*

BÉRENGER: Mais oui, j'ai toujours mal à la tête. Mais je n'ai pas de bosse, je ne me suis pas cogné !... n'est-ce pas ?

> *Il soulève son bandage, montre son front à Dudard.*

DUDARD: Non, vous n'avez pas de bosse. Je n'en vois pas.

BÉRENGER: Je n'en aurai jamais, j'espère. Jamais.

DUDARD: Si vous ne vous cognez pas, comment pourriez-vous en avoir ?

BÉRENGER: Si on ne veut vraiment pas se cogner, on ne se cogne pas !

DUDARD: Évidemment. Il s'agit de faire attention. Qu'est-ce que vous avez donc ? Vous êtes nerveux, agité. C'est évidemment à cause de votre migraine. Ne bougez plus, vous aurez moins mal.

BÉRENGER: Une migraine ? Ne me parlez pas de migraine ! N'en parlez pas.

DUDARD: C'est explicable que vous ayez des migraines, après votre émotion.

BÉRENGER: J'ai du mal à me remettre !

DUDARD: Alors, il n'y a rien d'extraordinaire à ce que vous ayez mal à la tête.

BÉRENGER, *se précipitant devant la glace, soulevant son bandage*: Non, rien... Vous savez, c'est comme cela que ça peut commencer.

DUDARD : Qu'est-ce qui peut commencer ?

BÉRENGER : … J'ai peur de devenir un autre.

DUDARD : Tranquillisez-vous donc, asseyez-vous. À parcourir la pièce d'un bout à l'autre, cela ne peut que vous énerver davantage.

BÉRENGER : Oui, vous avez raison, du calme. *(Il va s'asseoir.)* Je n'en reviens pas, vous savez.

DUDARD : À cause de Jean, je le sais.

BÉRENGER : Oui. À cause de Jean, bien sûr, à cause des autres aussi.

DUDARD : Je comprends que vous ayez été choqué.

BÉRENGER : On le serait à moins, vous l'admettez !

DUDARD : Enfin, tout de même, il ne faut pourtant pas exagérer, ce n'est pas une raison pour vous de…

BÉRENGER : J'aurais voulu vous y voir. Jean était mon meilleur ami. Et ce revirement qui s'est produit sous mes yeux, sa colère !

DUDARD : D'accord. Vous avez été déçu, c'est entendu. N'y pensez plus.

BÉRENGER : Comment pourrais-je ne pas y penser ! Ce garçon si humain, grand défenseur de l'humanisme ! Qui l'eût cru ! Lui, lui ! On se connaissait depuis… depuis toujours. Jamais je ne me serais douté qu'il aurait évolué de cette façon. J'étais plus sûr de lui que de moi-même !… Me faire ça, à moi.

DUDARD : Cela n'était sans doute pas dirigé spécialement contre vous !

BÉRENGER : Cela en avait bien l'air pourtant. Si vous aviez vu dans quel état… l'expression de sa figure…

DUDARD : C'est parce que c'est vous qui vous

trouviez par hasard chez lui. Avec n'importe qui cela se serait passé de la même façon.

BÉRENGER : Devant moi, étant donné notre passé commun, il aurait pu se retenir.

DUDARD : Vous vous croyez le centre du monde, vous croyez que tout ce qui arrive vous concerne personnellement ! Vous n'êtes pas la cible universelle !

BÉRENGER : C'est peut-être juste. Je vais tâcher de me raisonner. Cependant le phénomène en soi est inquiétant. Moi, à vrai dire, cela me bouleverse. Comment l'expliquer ?

DUDARD : Pour le moment, je ne trouve pas encore une explication satisfaisante. Je constate les faits, je les enregistre. Cela existe, donc cela doit pouvoir s'expliquer. Des curiosités de la nature, des bizarreries, des extravagances, un jeu, qui sait ?

BÉRENGER : Jean était très orgueilleux. Moi, je n'ai pas d'ambition. Je me contente de ce que je suis.

DUDARD : Peut-être aimait-il l'air pur, la campagne, l'espace... peut-être avait-il besoin de se détendre. Je ne dis pas ça pour l'excuser...

BÉRENGER : Je vous comprends, enfin j'essaye. Pourtant, même si on m'accusait de ne pas avoir l'esprit sportif ou d'être un petit-bourgeois, figé dans son univers clos, je resterais sur mes positions.

DUDARD : Nous resterons tous les mêmes, bien sûr. Alors pourquoi vous inquiétez-vous pour quelques cas de rhinocérite ? Cela peut être aussi une maladie.

BÉRENGER : Justement, j'ai peur de la contagion.

DUDARD : Oh ! n'y pensez plus. Vraiment, vous attachez trop d'importance à la chose. L'exemple de

Jean n'est pas symptomatique, n'est pas représentatif, vous avez dit vous-même que Jean était orgueilleux. À mon avis, excusez-moi de dire du mal de votre ami, c'était un excité, un peu sauvage, un excentrique, on ne prend pas en considération les originaux. C'est la moyenne qui compte.

BÉRENGER : Alors cela s'éclaire. Vous voyez, vous ne pouviez pas expliquer le phénomène. Eh bien, voilà, vous venez de me donner une explication plausible. Oui, pour s'être mis dans cet état, il a certainement dû avoir une crise, un accès de folie… Et pourtant, il avait des arguments, il semblait avoir réfléchi à la question, mûri sa décision… Mais Bœuf, Bœuf, était-il fou lui aussi ?… et les autres, les autres ?…

DUDARD : Il reste l'hypothèse de l'épidémie. C'est comme la grippe. Ça c'est déjà vu des épidémies.

BÉRENGER : Elles n'ont jamais ressemblé à celle-ci. Et si ça venait des colonies ?

DUDARD : En tout cas, vous ne pouvez pas prétendre que Bœuf et les autres, eux aussi, ont fait ce qu'ils ont fait, ou sont devenus ce qu'ils sont devenus, exprès pour vous ennuyer. Ils ne se seraient pas donné ce mal.

BÉRENGER : C'est vrai, c'est sensé ce que vous dites, c'est une parole rassurante… ou peut-être, au contraire, cela est-il plus grave encore ? *(On entend des rhinocéros galoper sous la fenêtre du fond.)* Tenez, vous entendez ? *(Il se précipite vers la fenêtre.)*

DUDARD : Laissez-les donc tranquilles ! *(Bérenger referme la fenêtre.)* En quoi vous gênent-ils ? Vraiment, ils vous obsèdent. Ce n'est pas bien. Vous vous épuisez nerveusement. Vous avez eu un choc, c'est entendu !

N'en cherchez pas d'autres. Maintenant, tâchez tout simplement de vous rétablir.

BÉRENGER : Je me demande si je suis bien immunisé.

DUDARD : De toute façon, ce n'est pas mortel. Il y a des maladies qui sont saines. Je suis convaincu qu'on en guérit si on veut. Ça leur passera, allez.

BÉRENGER : Ça doit certainement laisser des traces ! Un tel déséquilibre organique ne peut pas ne pas en laisser...

DUDARD : C'est passager, ne vous en faites pas.

BÉRENGER : Vous en êtes convaincu ?

DUDARD : Je le crois, oui, je le suppose.

BÉRENGER : Mais si on ne veut vraiment pas, n'est-ce pas, si on ne veut vraiment pas attraper ce mal qui est un mal nerveux, on ne l'attrape pas, on ne l'attrape pas !... Voulez-vous un verre de cognac ?

> *Il se dirige vers la table où se*
> *trouve la bouteille.*

DUDARD : Ne vous dérangez pas, je n'en prends pas, merci. Qu'à cela ne tienne, si vous voulez en prendre, allez-y, ne vous gênez pas pour moi, mais attention, vous aurez encore plus mal à la tête après.

BÉRENGER : L'alcool est bon contre les épidémies. Ça m'immunise. Par exemple, ça tue les microbes de la grippe.

DUDARD : Ça ne tue peut-être pas tous les microbes de toutes les maladies. Pour la rhinocérite, on ne peut pas encore savoir.

BÉRENGER : Jean ne buvait jamais d'alcool. Il le prétendait. C'est peut-être pour cela qu'il... c'est peut-être cela qui explique son attitude. *(Il tend un verre plein à Dudard.)* Vous n'en voulez vraiment pas ?

DUDARD : Non, non, jamais avant le déjeuner. Merci.

> *Bérenger vide son verre, continuant de le tenir à la main ainsi que la bouteille ; il tousse.*

DUDARD : Vous voyez, vous voyez, vous ne le supportez pas. Ça vous fait tousser.

BÉRENGER, *inquiet* : Oui, ça m'a fait tousser. Comment ai-je toussé ?

DUDARD : Comme tout le monde, quand on boit quelque chose d'un peu fort.

BÉRENGER, *allant déposer le verre et la bouteille sur la table* : Ce n'était pas une toux étrange ? C'était bien une véritable toux humaine ?

DUDARD : Qu'allez-vous chercher ? C'était une toux humaine. Quel autre genre de toux cela aurait-il pu être ?

BÉRENGER : Je ne sais pas... Une toux d'animal, peut-être... Est-ce que ça tousse un rhinocéros ?

DUDARD : Voyons, Bérenger, vous êtes ridicule, vous vous créez des problèmes, vous vous posez des questions saugrenues... Je vous rappelle que vous précisiez vous-même que la meilleure façon de se défendre contre la chose c'est d'avoir de la volonté.

BÉRENGER : Oui, bien sûr.

DUDARD : Eh bien, prouvez que vous en avez.

BÉRENGER : Je vous assure que j'en ai...

DUDARD : ... Prouvez-le à vous-même, tenez, ne buvez plus de cognac... vous serez plus sûr de vous.

BÉRENGER : Vous ne voulez pas me comprendre. Je vous répète que c'est tout simplement parce que cela préserve du pire que j'en prends, oui, c'est calculé. Quand il n'y aura plus d'épidémie, je ne boirai plus. J'avais déjà pris cette décision avant les événements. Je la reporte, provisoirement !

DUDARD : Vous vous donnez des excuses.

BÉRENGER : Ah oui, vous croyez ?... En tout cas, cela n'a rien à voir avec ce qui se passe.

DUDARD : Sait-on jamais ?

BÉRENGER, *effrayé* : Vous le pensez vraiment ? Vous croyez que cela prépare le terrain ! Je ne suis pas alcoolique. (*Il se dirige vers la glace ; s'y observe.*) Est-ce que par hasard... (*Il met la main sur sa figure, tâte son front par-dessus le bandage.*) Rien n'est changé, ça ne m'a pas fait de mal, c'est la preuve que ça a du bon... ou du moins que c'est inoffensif.

DUDARD : Je plaisantais, Bérenger, voyons. Je vous taquinais. Vous voyez tout en noir, vous allez devenir neurasthénique, attention. Lorsque vous serez tout à fait rétabli de votre choc, de votre dépression, et que vous pourrez sortir, prendre un peu d'air, ça ira mieux, vous allez voir. Vos idées sombres s'évanouiront.

BÉRENGER : Sortir ? Il faudra bien. J'appréhende ce moment. Je vais certainement en rencontrer...

DUDARD : Et alors ? Vous n'avez qu'à éviter de vous mettre sur leur passage. Ils ne sont pas tellement nombreux d'ailleurs.

BÉRENGER : Je ne vois qu'eux. Vous allez dire que c'est morbide de ma part.

DUDARD : Ils ne vous attaquent pas. Si on les

laisse tranquilles, ils vous ignorent. Dans le fond, ils ne sont pas méchants. Il y a même chez eux une certaine innocence naturelle, oui ; de la candeur. D'ailleurs, j'ai parcouru moi-même, à pied, toute l'avenue pour venir chez vous. Vous voyez, je suis sain et sauf, je n'ai eu aucun ennui.

BÉRENGER : Rien qu'à les voir, moi ça me bouleverse. C'est nerveux. Ça ne me met pas en colère, non, on ne doit pas se mettre en colère, ça peut mener loin, la colère, je m'en préserve, mais cela me fait quelque chose là *(il montre son cœur)*, cela me serre le cœur.

DUDARD : Jusqu'à un certain point, vous avez raison d'être impressionné. Vous l'êtes trop, cependant. Vous manquez d'humour, c'est votre défaut, vous manquez d'humour. Il faut prendre les choses à la légère, avec détachement.

BÉRENGER : Je me sens solidaire de tout ce qui arrive. Je prends part, je ne peux pas rester indifférent.

DUDARD : Ne jugez pas les autres, si vous ne voulez pas être jugé. Et puis si on se faisait des soucis pour tout ce qui se passe, on ne pourrait plus vivre.

BÉRENGER : Si cela s'était passé ailleurs, dans un autre pays et qu'on eût appris cela par les journaux, on pourrait discuter paisiblement de la chose, étudier la question sur toutes ses faces, en tirer objectivement des conclusions. On organiserait des débats académiques, on ferait venir des savants, des écrivains, des hommes de loi, des femmes savantes, des artistes. Des hommes de la rue aussi, ce serait intéressant, passionnant, instructif. Mais quand vous êtes pris vous-même dans l'événement, quand vous êtes mis tout à coup devant la réalité brutale des faits, on ne peut pas ne pas se sentir concerné directement, on est trop violemment surpris pour garder tout son sang-froid. Moi, je suis surpris, je suis surpris, je suis surpris ! Je n'en reviens pas.

DUDARD : Moi aussi, j'ai été surpris, comme vous. Ou plutôt je l'étais. Je commence déjà à m'habituer.

BÉRENGER : Vous avez un système nerveux mieux équilibré que le mien. Je vous en félicite. Mais vous ne trouvez pas que c'est malheureux...

DUDARD, *l'interrompant* : Je ne dis certainement pas que c'est un bien. Et ne croyez pas que je prenne parti à fond pour les rhinocéros...

> *Nouveaux bruits de rhinocéros passant, cette fois, sous l'encadrement de la fenêtre à l'avant-scène.*

BÉRENGER, *sursautant* : Les voilà encore ! Les voilà encore ! Ah ! non, rien à faire, moi je ne peux pas m'y habituer. J'ai tort peut-être. Ils me préoccupent tellement malgré moi que cela m'empêche de dormir. J'ai des insomnies. Je somnole dans la journée quand je suis à bout de fatigue.

DUDARD : Prenez des somnifères.

BÉRENGER : Ce n'est pas une solution. Si je dors, c'est pire. J'en rêve la nuit, j'ai des cauchemars.

DUDARD : Voilà ce que c'est que de prendre les choses trop à cœur. Vous aimez bien vous torturer. Avouez-le.

BÉRENGER : Je vous jure que je ne suis pas masochiste.

DUDARD : Alors, assimilez la chose et dépassez-la. Puisqu'il en est ainsi, c'est qu'il ne peut en être autrement.

BÉRENGER : C'est du fatalisme.

DUDARD : C'est de la sagesse. Lorsqu'un tel phénomène se produit, il a certainement une raison de se produire. C'est cette cause qu'il faut discerner.

BÉRENGER, *se levant* : Eh bien, moi, je ne veux pas accepter cette situation.

DUDARD : Que pouvez-vous faire ? Que comptez-vous faire ?

BÉRENGER : Pour le moment, je ne sais pas. je réfléchirai. J'enverrai des lettres aux journaux, j'écrirai des manifestes, je solliciterai une audience au maire, à son adjoint, si le maire est trop occupé.

DUDARD : Laissez les autorités réagir d'elles-mêmes ! Après tout je me demande si, moralement, vous avez le droit de vous mêler de l'affaire. D'ailleurs, je continue de penser que ce n'est pas grave. À mon avis, il est absurde de s'affoler pour quelques personnes qui ont voulu changer de peau. Ils ne se sentaient pas bien dans la leur. Ils sont bien libres, ça les regarde.

BÉRENGER : Il faut couper le mal à la racine.

DUDARD : Le mal, le mal ! Parole creuse ! Peut-on savoir où est le mal, où est le bien ? Nous avons des préférences, évidemment. Vous craignez surtout pour vous. C'est ça la vérité, mais vous ne deviendrez jamais rhinocéros, vraiment... vous n'avez pas la vocation !

BÉRENGER : Et voilà, et voilà ! Si les dirigeants et nos concitoyens pensent tous comme vous, ils ne se décideront pas à agir.

DUDARD : Vous n'allez tout de même pas demander l'aide de l'étranger. Ceci est une affaire inté-
rieure, elle concerne uniquement notre pays.

BÉRENGER : Je crois à la solidarité internationale…

DUDARD : Vous êtes un Don Quichotte ! Ah ! je
ne dis pas cela méchamment, je ne vous offense pas !
C'est pour votre bien, vous le savez, car, décidément,
vous devez vous calmer.

BÉRENGER : Je n'en doute pas, excusez-moi. Je suis
trop anxieux. Je me corrigerai. Je m'excuse aussi de
vous retenir, de vous obliger à écouter mes divaga-
tions. Vous avez sans doute du travail. Avez-vous
reçu ma demande de congé de maladie ?

DUDARD : Ne vous inquiétez pas. C'est en ordre.
D'ailleurs, le bureau n'a pas repris son activité.

BÉRENGER : On n'a pas encore réparé l'escalier ?
Quelle négligence ! C'est pour cela que tout va mal.

DUDARD : On est en train de réparer. Ça ne va
pas vite. Il n'est pas facile de trouver des ouvriers. Ils
viennent s'embaucher, ils travaillent un jour ou deux,
et puis ils s'en vont. On ne les voit plus. Il faut en
chercher d'autres.

BÉRENGER : Et on se plaint du chômage ! J'espère
au moins qu'on aura un escalier en ciment.

DUDARD : Non, en bois toujours, mais du bois
neuf.

BÉRENGER : Ah ! la routine des administrations.
Elles gaspillent de l'argent et quand il s'agit d'une
dépense utile, elles prétendent qu'il n'y a pas de fonds
suffisants. M. Papillon ne doit pas être content. Il y
tenait beaucoup à son escalier en ciment. Qu'est-ce
qu'il en pense ?

DUDARD : Nous n'avons plus de chef. M. Papillon a donné sa démission.

BÉRENGER : Pas possible !

DUDARD : Puisque je vous le dis.

BÉRENGER : Cela m'étonne... C'est à cause de cette histoire d'escalier ?

DUDARD : Je ne crois pas. En tout cas, ce n'est pas la raison qu'il en a donnée.

BÉRENGER : Pourquoi donc alors ? Qu'est-ce qu'il lui prend ?

DUDARD : Il veut se retirer à la campagne.

BÉRENGER : Il prend sa retraite ? Il n'a pourtant pas l'âge, il pouvait encore devenir directeur.

DUDARD : Il y a renoncé. Il prétendait qu'il avait besoin de repos.

BÉRENGER : La direction générale doit être bien ennuyée de ne plus l'avoir, il faudra le remplacer. C'est tant mieux pour vous, avec vos diplômes, vous avez votre chance.

DUDARD : Pour ne rien vous cacher... c'est assez drôle, il est devenu rhinocéros.

Bruits lointains de rhinocéros.

BÉRENGER : Rhinocéros ! M. Papillon est devenu rhinocéros ! Ah ! ça par exemple ! Ça par exemple !... Moi, je ne trouve pas cela drôle ! Pourquoi ne me l'avez-vous pas dit plus tôt ?

DUDARD : Vous voyez bien que vous n'avez pas d'humour. Je ne voulais pas vous le dire... je ne voulais pas vous le dire parce que, tel que je vous connais, je savais que vous ne trouveriez pas cela drôle, et que cela vous frapperait. Impressionnable comme vous l'êtes !

BÉRENGER, *levant les bras au ciel*: Ah ! ça, ah ! ça… M. Papillon !… Et il avait une si belle situation.

DUDARD : Cela prouve tout de même la sincérité de sa métamorphose.

BÉRENGER : Il n'a pas dû le faire exprès, je suis convaincu qu'il s'agit là d'un changement involontaire.

DUDARD : Qu'en savons-nous ? Il est difficile de connaître les raisons secrètes des décisions des gens.

BÉRENGER : Ça doit être un acte manqué. Il avait des complexes cachés. Il aurait dû se faire psychanalyser.

DUDARD : Même si c'est un transfert, cela peut être révélateur. Chacun trouve la sublimation qu'il peut.

BÉRENGER : Il s'est laissé entraîner, j'en suis sûr.

DUDARD : Cela peut arriver à n'importe qui !

BÉRENGER, *effrayé*: À n'importe qui ? Ah ! non, pas à vous, n'est-ce pas, pas à vous ? Pas à moi !

DUDARD : Je l'espère.

BÉRENGER : Puisqu'on ne veut pas… n'est-ce pas… n'est-ce pas… dites ? n'est-ce pas, n'est-ce pas ?

DUDARD : Mais oui, mais oui…

BÉRENGER, *se calmant un peu*: Je pensais tout de même que M. Papillon aurait eu la force de mieux résister. Je croyais qu'il avait un peu plus de caractère !… D'autant plus que je ne vois pas quel est son intérêt, son intérêt matériel, son intérêt moral…

DUDARD : Son geste est désintéressé. C'est évident.

BÉRENGER : Bien sûr. C'est une circonstance atténuante ou aggravante? Aggravante plutôt, je crois, car s'il a fait cela par goût… Vous voyez, je suis convaincu que Botard a dû juger son comportement avec sévérité; qu'est-ce qu'il en pense, lui, qu'est-ce qu'il en pense de son chef?

DUDARD : Ce pauvre M. Botard, il était indigné, il était outré. J'ai rarement vu quelqu'un de plus exaspéré.

BÉRENGER : Eh bien, cette fois je ne lui donne pas tort. Ah! Botard, c'est tout de même quelqu'un. Un homme sensé. Et moi qui le jugeais mal.

DUDARD : Lui aussi vous jugeait mal.

BÉRENGER : Cela prouve mon objectivité dans l'affaire actuelle. D'ailleurs, vous aviez vous-même une mauvaise opinion de lui.

DUDARD : Une mauvaise opinion… ce n'est pas le mot. Je dois dire que je n'étais pas souvent d'accord avec lui. Son scepticisme, son incrédulité, sa méfiance me déplaisaient. Cette fois non plus, je ne lui ai pas donné toute mon approbation.

BÉRENGER : Pour des raisons opposées, à présent.

DUDARD : Non. Ce n'est pas exactement cela, mon raisonnement, mon jugement est tout de même un peu plus nuancé que vous ne semblez le croire. C'est parce qu'en fait Botard n'avait guère d'arguments précis et objectifs. Je vous répète que je n'approuve pas non plus les rhinocéros, non, pas du tout, ne pensez pas cela. Seulement, l'attitude de Botard était comme toujours trop passionnelle, donc simpliste. Sa prise de position me semble uniquement dictée par la haine de ses supérieurs. Donc, complexe d'infériorité, ressentiment. Et puis, il parle en clichés, les lieux communs ne me touchent pas.

BÉRENGER : Eh bien, cette fois, je suis tout à fait d'accord avec Botard, ne vous en déplaise. C'est un brave type. Voilà.

DUDARD : Je ne le nie pas, mais cela ne veut rien dire.

BÉRENGER : Oui, un brave type ! Ça ne se trouve pas souvent les braves types, et pas dans les nuages. Un brave type avec ses quatre pieds sur terre ; pardon, ses deux pieds, je veux dire. Je suis heureux de me sentir en parfait accord avec lui. Quand je le verrai, je le féliciterai. Je condamne M. Papillon. Il avait le devoir de ne pas succomber.

DUDARD : Que vous êtes intolérant ! Peut-être Papillon a-t-il senti le besoin d'une détente après tant d'années de vie sédentaire.

BÉRENGER, *ironique* : Vous, vous êtes trop tolérant, trop large d'esprit !

DUDARD : Mon cher Bérenger, il faut toujours essayer de comprendre. Et lorsqu'on veut comprendre un phénomène et ses effets, il faut remonter jusqu'à ses causes, par un effort intellectuel honnête. Mais il faut tâcher de le faire, car nous sommes des êtres pensants. Je n'ai pas réussi, je vous le répète, je ne sais pas si je réussirai. De toute façon, on doit avoir, au départ, un préjugé favorable, ou sinon, au moins une neutralité, une ouverture d'esprit qui est le propre de la mentalité scientifique. Tout est logique. Comprendre, c'est justifier.

BÉRENGER : Vous allez bientôt devenir un sympathisant des rhinocéros.

DUDARD : Mais non, mais non. Je n'irai pas jusque-là. Je suis tout simplement quelqu'un qui essaye de voir les choses en face, froidement. Je veux être réaliste. Je me dis aussi qu'il n'y a pas de vices véritables dans ce qui est naturel. Malheur à celui qui voit le vice partout. C'est le propre des inquisiteurs.

BÉRENGER : Vous trouvez, vous, que c'est naturel ?

DUDARD : Quoi de plus naturel qu'un rhinocéros ?

BÉRENGER : Oui, mais un homme qui devient rhinocéros, c'est indiscutablement anormal.

DUDARD : Oh ! indiscutablement !... vous savez...

BÉRENGER : Oui, indiscutablement anormal, absolument anormal !

DUDARD : Vous me semblez bien sûr de vous. Peut-on savoir où s'arrête le normal, où commence l'anormal ? Vous pouvez définir ces notions, vous, normalité, anormalité ? Philosophiquement et médicalement, personne n'a pu résoudre le problème. Vous devriez être au courant de la question.

BÉRENGER : Peut-être ne peut-on pas trancher philosophiquement cette question. Mais pratiquement, c'est facile. On vous démontre que le mouvement n'existe pas... et on marche, on marche, on marche... *(il se met à marcher d'un bout à l'autre de la pièce)*... on marche ou alors on se dit à soi-même, comme Galilée : « Eppur' si muove[1]... »

DUDARD : Vous mélangez tout dans votre tête ! Ne confondez pas, voyons. Dans le cas de Galilée,

---

1. Référence à Galilée (1564-1642), « Et pourtant, elle se meut », en parlant de la Terre, à la suite de la condamnation de sa théorie par l'Inquisition.

c'était au contraire la pensée théorique et scientifique qui avait raison contre le sens commun et le
dogmatisme.

BÉRENGER, *perdu*: Qu'est-ce que c'est que ces
histoires! Le sens commun, le dogmatisme, des mots,
des mots! Je mélange peut-être tout dans ma tête,
mais vous, vous la perdez. Vous ne savez plus ce qui
est normal, ce qui ne l'est pas! Vous m'assommez
avec votre Galilée... Je m'en moque de Galilée.

DUDARD: C'est vous-même qui l'avez cité et qui
avez soulevé la question, en prétendant que la pratique avait toujours le dernier mot. Elle l'a peut-être,
mais lorsqu'elle procède de la théorie! L'histoire de
la pensée et de la science le prouve bien.

BÉRENGER, *de plus en plus furieux*: Ça ne prouve
rien du tout! C'est du charabia, c'est de la folie!

DUDARD: Encore faut-il savoir ce que c'est que la
folie...

BÉRENGER: La folie, c'est la folie, na! La folie, c'est
la folie tout court! Tout le monde sait ce que c'est, la
folie. Et les rhinocéros, c'est de la pratique, ou de
la théorie?

DUDARD: L'un et l'autre.

BÉRENGER: Comment l'un et l'autre!

DUDARD: L'un et l'autre ou l'un ou l'autre. C'est
à débattre!

BÉRENGER: Alors là, je... refuse de penser!

DUDARD: Vous vous mettez hors de vous. Nous
n'avons pas tout à fait les mêmes opinions, nous en
discutons paisiblement. On doit discuter.

BÉRENGER, *affolé*: Vous croyez que je suis hors de
moi? On dirait que je suis Jean. Ah! non, non, je ne
veux pas devenir comme Jean. Ah! non, je ne veux

pas lui ressembler. *(Il se calme.)* Je ne suis pas calé en philosophie. Je n'ai pas fait d'études ; vous, vous avez des diplômes. Voilà pourquoi vous êtes plus à l'aise dans la discussion, moi, je ne sais quoi vous répondre, je suis maladroit. *(Bruits plus forts des rhinocéros, passant d'abord sous la fenêtre du fond, puis sous la fenêtre d'en face.)* Mais je sens, moi, que vous êtes dans votre tort... je le sens instinctivement, ou plutôt non, c'est le rhinocéros qui a de l'instinct, je le sens intuitivement, voilà le mot, intuitivement.

DUDARD : Qu'entendez-vous par intuitivement ?

BÉRENGER : Intuitivement, ça veut dire : ... comme ça, na ! Je sens, comme ça, que votre tolérance excessive, votre généreuse indulgence... en réalité, croyez-moi, c'est de la faiblesse... de l'aveuglement...

DUDARD : C'est vous qui le prétendez, naïvement.

BÉRENGER : Avec moi, vous aurez toujours beau jeu. Mais écoutez, je vais tâcher de retrouver le Logicien...

DUDARD : Quel logicien ?

BÉRENGER : Le Logicien, le philosophe, un logicien quoi... vous savez mieux que moi ce que c'est qu'un logicien. Un logicien que j'ai connu, qui m'a expliqué...

DUDARD : Que vous a-t-il expliqué ?

BÉRENGER : Qui a expliqué que les rhinocéros asiatiques étaient africains, et que les rhinocéros africains étaient asiatiques.

DUDARD : Je saisis difficilement.

BÉRENGER : Non... non. Il nous a démontré le contraire, c'est-à-dire que les africains étaient asiatiques et que les asiatiques... je m'entends. Ce n'est pas ce que je voulais dire. Enfin, vous vous débrouillerez avec lui. C'est quelqu'un dans votre genre, quelqu'un de bien, un intellectuel subtil, érudit. *(Bruits grandissants des rhinocéros. Les paroles des deux personnages sont couvertes par les bruits des fauves qui passent sous les deux fenêtres ; pendant un court instant, on voit bouger les lèvres de Dudard et Bérenger, sans qu'on puisse les entendre.)* Encore eux ! Ah ! ça n'en finira pas ! *(Il court à la fenêtre du fond.)* Assez ! Assez ! Salauds !

> *Les rhinocéros s'éloignent, Bérenger montre le poing dans leur direction.*

DUDARD, *assis* : Je veux bien le connaître, votre Logicien. S'il veut m'éclairer sur ces points délicats, délicats et obscurs… Je ne demande pas mieux, ma foi.

BÉRENGER, *tout en courant à la fenêtre face à la scène* : Oui, je vous l'amènerai, il vous parlera. Vous verrez, c'est une personnalité distinguée. *(En direction des rhinocéros, à la fenêtre :)* Salauds !

> *Même jeu que tout à l'heure.*

DUDARD : Laissez-les courir. Et soyez plus poli. On ne parle pas de la sorte à des créatures…

BÉRENGER, *toujours à la fenêtre* : En revoilà ! *(De la fosse d'orchestre, sous la fenêtre, on voit émerger un canotier transpercé par une corne de rhinocéros qui, de gauche, disparaît très vite vers la droite.)* Un canotier empalé sur la corne du rhinocéros ! Ah ! c'est le canotier du Logicien ! Le canotier du Logicien ! Mille fois merde, le Logicien est devenu rhinocéros !

DUDARD : Ce n'est pas une raison pour être grossier !

BÉRENGER : À qui se fier, mon Dieu, à qui se fier ! Le Logicien est rhinocéros !

DUDARD, *allant vers la fenêtre*: Où est-il?

BÉRENGER, *montrant du doigt*: Là, celui-là, vous voyez!

DUDARD: C'est le seul rhinocéros à canotier. Cela vous laisse rêveur. C'est bien votre Logicien!...

BÉRENGER: Le Logicien... rhinocéros!

DUDARD: Il a tout de même conservé un vestige de son ancienne individualité!

BÉRENGER, *il montre de nouveau le poing en direction du rhinocéros à canotier qui a disparu*: Je ne vous suivrai pas! je ne vous suivrai pas!

DUDARD: Si vous dites que c'était un penseur authentique, il n'a pas dû se laisser emporter. Il a dû bien peser le pour et le contre, avant de choisir.

BÉRENGER, *toujours criant à la fenêtre en direction de l'ex-Logicien et des autres rhinocéros qui se sont éloignés*: Je ne vous suivrai pas!

DUDARD, *s'installant dans son fauteuil*: Oui, cela donne à réfléchir!

> *Bérenger ferme la fenêtre en face, se dirige vers la fenêtre du fond, par où passent d'autres rhinocéros qui, vraisemblablement, font le tour de la maison. Il ouvre la fenêtre, leur crie.*

BÉRENGER: Non, je ne vous suivrai pas!

DUDARD, *à part dans son fauteuil*: Ils tournent autour de la maison. Ils jouent! De grands enfants! *(Depuis quelques instants on a pu voir Daisy monter les dernières marches de l'escalier, à gauche. Elle frappe à la porte de Bérenger. Elle porte un panier sous son bras.)* On frappe, Bérenger, il y a quelqu'un!

> *Il tire par la manche Bérenger qui
> est toujours à la fenêtre.*

BÉRENGER, *criant en direction des rhinocéros*: C'est une honte! une honte, votre mascarade.

DUDARD: On frappe à votre porte, Bérenger, vous n'entendez pas?

BÉRENGER: Ouvrez, si vous voulez!

> *Il continue de regarder les rhino-
> céros dont les bruits s'éloignent, sans
> plus rien dire. Dudard va ouvrir la
> porte.*

DAISY, *entrant*: Bonjour, monsieur Dudard.

DUDARD: Tiens, vous, mademoiselle Daisy!

DAISY: Bérenger est là? est-ce qu'il va mieux?

DUDARD: Bonjour, chère Mademoiselle, vous venez donc bien souvent chez Bérenger?

DAISY: Où est-il?

DUDARD, *le montrant du doigt*: Là.

DAISY: Le pauvre, il n'a personne. Il est un peu malade aussi en ce moment, il faut bien l'aider un peu.

DUDARD: Vous êtes une bien bonne camarade, mademoiselle Daisy.

DAISY: Mais oui, je suis une bonne camarade, en effet.

DUDARD: Vous avez bon cœur.

DAISY: Je suis une bonne camarade, c'est tout.

BÉRENGER, *se retournant; laissant la fenêtre ouverte*: Oh! chère mademoiselle Daisy! Que c'est gentil à vous d'être venue, comme vous êtes aimable.

DUDARD: On ne peut le nier.

BÉRENGER: Vous savez, mademoiselle Daisy, le Logicien est rhinocéros!

DAISY: Je sais, je viens de l'apercevoir dans la rue, en arrivant. Il courait bien vite, pour quelqu'un de son âge! Vous allez mieux, monsieur Bérenger?

BÉRENGER, *à Daisy*: La tête, encore la tête! mal à la tête! C'est effrayant. Qu'est-ce que vous en pensez?

DAISY: Je pense que vous devez vous reposer... rester chez vous quelques jours, calmement.

DUDARD, *à Bérenger et à Daisy*: J'espère que je ne vous gêne pas!

BÉRENGER, *à Daisy*: Je parle du Logicien...

DAISY, *à Dudard*: Pourquoi nous gêneriez-vous? (*À Bérenger.*) Ah! le Logicien? Je n'en pense rien du tout!

DUDARD, *à Daisy*: Je suis peut-être de trop?

DAISY, *à Bérenger*: Que voulez-vous que j'en pense! (*À Bérenger et à Dudard.*) J'ai une nouvelle fraîche à vous donner: Botard est devenu rhinocéros.

DUDARD: Tiens!

BÉRENGER: Ce n'est pas possible! Il était contre. Vous devez confondre. Il avait protesté. Dudard vient de me le dire, à l'instant. N'est-ce pas, Dudard?

DUDARD: C'est exact.

DAISY: Je sais qu'il était contre. Pourtant, il est devenu tout de même rhinocéros, vingt-quatre heures après la transformation de M. Papillon.

DUDARD: Voilà! il a changé d'idée! Tout le monde a le droit d'évoluer.

BÉRENGER: Mais alors, alors on peut s'attendre à tout!

DUDARD, *à Bérenger*: C'est un brave homme, d'après ce que vous affirmiez tout à l'heure.

BÉRENGER, *à Daisy*: J'ai du mal à vous croire. On vous a menti.

DAISY: Je l'ai vu faire.

BÉRENGER: Alors, c'est lui qui a menti, il a fait semblant.

DAISY: Il avait l'air sincère, la sincérité même.

BÉRENGER: A-t-il donné une raison?

DAISY: Il a dit textuellement: il faut suivre son temps! Ce furent ses dernières paroles humaines!

DUDARD, *à Daisy*: J'étais presque sûr que j'allais vous rencontrer ici, mademoiselle Daisy.

BÉRENGER: ... Suivre son temps! Quelle mentalité!

Il fait un grand geste.

DUDARD, *à Daisy*: Impossible de vous rencontrer nulle part ailleurs, depuis la fermeture du bureau.

BÉRENGER, *continuant à part*: Quelle naïveté!

Même geste.

DAISY, *à Dudard*: Si vous vouliez me voir, vous n'aviez qu'à me téléphoner!

DUDARD, *à Daisy*: Oh! je suis discret, discret, Mademoiselle, moi.

BÉRENGER: Eh bien, réflexion faite, le coup de tête de Botard ne m'étonne pas. Sa fermeté n'était qu'apparente. Ce qui ne l'empêche pas, bien sûr, d'être ou d'avoir été un brave homme. Les braves hommes font les braves rhinocéros. Hélas! C'est parce qu'ils sont de bonne foi, on peut les duper.

DAISY : Permettez-moi de mettre ce panier sur la table.

Elle met le panier sur la table.

BÉRENGER : Mais c'était un brave homme qui avait des sentiments...

DUDARD, *à Daisy, s'empressant de l'aider à déposer son panier* : Excusez-moi, excusez-nous, on aurait dû vous débarrasser plus tôt.

BÉRENGER, *continuant* : ... Il a été déformé par la haine de ses chefs, un complexe d'infériorité...

DUDARD, *à Bérenger* : Votre raisonnement est faux, puisqu'il a suivi son chef justement, l'instrument même de ses exploitants, c'était son expression. Au contraire, chez lui, il me semble que c'est l'esprit communautaire qui l'a emporté sur ses impulsions anarchiques.

BÉRENGER : Ce sont les rhinocéros qui sont anarchiques puisqu'ils sont en minorité.

DUDARD : Ils le sont encore, pour le moment.

DAISY : C'est une minorité déjà nombreuse qui va croissant. Mon cousin est devenu rhinocéros, et sa femme. Sans compter les personnalités : le cardinal de Retz...

DUDARD : Un prélat !

DAISY : Mazarin.

DUDARD : Vous allez voir que ça va s'étendre dans d'autres pays.

BÉRENGER : Dire que le mal vient de chez nous !

DAISY : ... Et des aristocrates : le duc de Saint-Simon.

BÉRENGER, *bras au ciel* : Nos classiques !

DAISY: Et d'autres encore. Beaucoup d'autres. Peut-être un quart des habitants de la ville.

BÉRENGER: Nous sommes encore les plus nombreux. Il faut en profiter. Il faut faire quelque chose avant d'être submergés.

DUDARD: Ils sont très efficaces, très efficaces.

DAISY: Pour le moment, on devrait déjeuner. J'ai apporté de quoi manger.

BÉRENGER: Vous êtes très gentille, mademoiselle Daisy.

DUDARD, *à part*: Oui, très gentille.

BÉRENGER, *à Daisy*: Je ne sais comment vous remercier.

DAISY, *à Dudard*: Voulez-vous rester avec nous?

DUDARD: Je ne voudrais pas être importun.

DAISY, *à Dudard*: Que dites-vous là, monsieur Dudard? Vous savez bien que vous nous feriez plaisir.

DUDARD: Vous savez bien que je ne veux pas gêner…

BÉRENGER, *à Dudard*: Mais bien sûr, Dudard, bien sûr. Votre présence est toujours un plaisir.

DUDARD: C'est que je suis un peu pressé. J'ai un rendez-vous.

BÉRENGER: Tout à l'heure, vous disiez que vous aviez tout votre temps.

DAISY, *sortant les provisions du panier*: Vous savez, j'ai eu du mal à trouver de quoi manger. Les magasins sont ravagés: ils dévorent tout. Une quantité d'autres boutiques sont fermées: « Pour cause de transformation », est-il écrit sur les écriteaux.

BÉRENGER: On devrait les parquer dans de vastes enclos, leur imposer des résidences surveillées.

DUDARD : La mise en pratique de ce projet ne me semble pas possible. La Société protectrice des animaux serait la première à s'y opposer.

DAISY : D'autre part, chacun a parmi les rhinocéros un parent proche, un ami, ce qui complique encore les choses.

BÉRENGER : Tout le monde est dans le coup, alors !

DUDARD : Tout le monde est solidaire.

BÉRENGER : Mais comment peut-on être rhinocéros ? C'est impensable, impensable ! *(À Daisy.)* Voulez-vous que je vous aide à mettre la table ?

DAISY, *à Bérenger* : Ne vous dérangez pas. Je sais où sont les assiettes.

> *Elle va chercher dans un placard,*
> *d'où elle rapportera les couverts.*

DUDARD, *à part* : Oh ! mais elle connaît très bien la maison...

DAISY, *à Dudard* : Alors trois couverts, n'est-ce pas, vous restez avec nous ?

BÉRENGER, *à Dudard* : Restez, voyons, restez.

DAISY, *à Bérenger* : On s'y habitue, vous savez. Plus personne ne s'étonne des troupeaux de rhinocéros parcourant les rues à toute allure. Les gens s'écartent sur leur passage, puis reprennent leur promenade, vaquent à leurs affaires, comme si de rien n'était.

DUDARD : C'est ce qu'il y a de plus sage.

BÉRENGER : Ah non, moi, je ne peux pas m'y faire.

DUDARD, *réfléchissant* : Je me demande si ce n'est pas une expérience à tenter.

DAISY : Pour le moment, déjeunons.

BÉRENGER : Comment, vous, un juriste, vous pouvez prétendre que… *(On entend du dehors un grand bruit d'un troupeau de rhinocéros, allant à une cadence très rapide. On entend aussi des trompettes, des tambours.)* Qu'est-ce que c'est ? *(Ils se précipitent tous vers la fenêtre de face.)* Qu'est-ce que c'est ? *(On entend le bruit d'un mur qui s'écroule. De la poussière envahit une partie du plateau, les personnages, si cela est possible, sont cachés par cette poussière. On les entend parler.)* On ne voit plus rien, que se passe-t-il ?

DUDARD : On ne voit plus rien, mais on entend.

BÉRENGER : Ça ne suffit pas !

DAISY : La poussière va salir les assiettes.

BÉRENGER : Quel manque d'hygiène !

DAISY : Dépêchons-nous de manger. Ne pensons plus à tout cela.

La poussière se disperse.

BÉRENGER, *montrant du doigt dans la salle* : Ils ont démoli les murs de la caserne des pompiers.

DUDARD : En effet, ils sont démolis.

DAISY, *qui s'était éloignée de la fenêtre et se trouvait près de la table, une assiette à la main qu'elle était en train de nettoyer, se précipite près des deux personnages* : Ils sortent.

BÉRENGER : Tous les pompiers, tout un régiment de rhinocéros, tambours en tête.

DAISY : Ils se déversent sur les boulevards !

BÉRENGER : Ce n'est plus tenable, ce n'est plus tenable !

DAISY : D'autres rhinocéros sortent des cours !

BÉRENGER : Il en sort des maisons…

DUDARD : Par les fenêtres aussi !

DAISY : Ils vont rejoindre les autres.

> *On voit sortir de la porte du palier,*
> *à gauche, un homme qui descend les*
> *escaliers à toute allure ; puis un autre*
> *homme, ayant une grande corne*
> *au-dessus du nez ; puis une femme*
> *ayant toute la tête d'un rhinocéros.*

DUDARD : Nous n'avons déjà plus le nombre pour nous.

BÉRENGER : Combien y a-t-il d'unicornus, combien de bicornus parmi eux ?

DUDARD : Les statisticiens doivent certainement être en train de statistiquer là-dessus. Quelle occasion de savantes controverses !

BÉRENGER : Le pourcentage des uns et des autres doit être calculé tout à fait approximativement. Ça va trop vite. Ils n'ont plus le temps. Ils n'ont plus le temps de calculer !

DAISY : La chose la plus sensée est de laisser les statisticiens à leurs travaux. Allons, mon cher Bérenger, venez déjeuner. Cela vous calmera. Ça va vous remonter. *(À Dudard.)* Et vous aussi.

> *Ils s'écartent de la fenêtre, Béren-*
> *ger, dont Daisy a pris le bras, se*
> *laisse entraîner facilement. Dudard*
> *s'arrête à mi-chemin.*

DUDARD : Je n'ai pas très faim, ou plutôt, je n'aime pas tellement les conserves. J'ai envie de manger sur l'herbe.

BÉRENGER : Ne faites pas ça. Savez-vous ce que vous risquez ?

DUDARD : Je ne veux pas vous gêner, vraiment.

BÉRENGER : Puisqu'on vous dit que...

DUDARD, *interrompant Bérenger* : C'est sans façon.

DAISY, *à Dudard* : Si vous voulez nous quitter absolument, écoutez, on ne peut vous obliger de...

DUDARD : Ce n'est pas pour vous vexer.

BÉRENGER, *à Daisy* : Ne le laissez pas partir, ne le laissez pas partir.

DAISY : Je voudrais bien qu'il reste... cependant, chacun est libre.

BÉRENGER, *à Dudard* : L'homme est supérieur au rhinocéros !

DUDARD : Je ne dis pas le contraire. Je ne vous approuve pas non plus. Je ne sais pas, c'est l'expérience qui le prouve.

BÉRENGER, *à Dudard* : Vous aussi, vous êtes un faible, Dudard. C'est un engouement passager, que vous regretterez.

DAISY : Si, vraiment, c'est un engouement passager, le danger n'est pas grave.

DUDARD : J'ai des scrupules ! Mon devoir m'impose de suivre mes chefs et mes camarades, pour le meilleur et pour le pire.

BÉRENGER : Vous n'êtes pas marié avec eux.

DUDARD : J'ai renoncé au mariage, je préfère la grande famille universelle à la petite.

DAISY, *mollement* : Nous vous regretterons beaucoup, Dudard, mais nous n'y pouvons rien.

DUDARD : Mon devoir est de ne pas les abandonner, j'écoute mon devoir.

BÉRENGER : Au contraire, votre devoir est de… vous ne connaissez pas votre devoir véritable… votre devoir est de vous opposer à eux, lucidement, fermement.

DUDARD : Je conserverai ma lucidité. *(Il se met à tourner en rond sur le plateau.)* Toute ma lucidité. S'il y a à critiquer, il vaut mieux critiquer du dedans que du dehors. Je ne les abandonnerai pas, je ne les abandonnerai pas.

DAISY : Il a bon cœur !

BÉRENGER : Il a trop bon cœur. *(À Dudard, puis se précipitant vers la porte.)* Vous avez trop bon cœur, vous êtes humain. *(À Daisy.)* Retenez-le. Il se trompe. Il est humain.

DAISY : Que puis-je y faire ?

> Dudard ouvre la porte et s'enfuit ; on le voit descendre les escaliers à toute vitesse, suivi par Bérenger qui crie après Dudard, du haut du palier.

BÉRENGER : Revenez, Dudard. On vous aime bien, n'y allez pas ! Trop tard ! *(Il rentre.)* Trop tard !

DAISY : On n'y pouvait rien.

> Elle ferme la porte derrière Bérenger, qui se précipite vers la fenêtre d'en face.

BÉRENGER : Il les a rejoints, où est-il maintenant ?

DAISY, *venant de la fenêtre* : Avec eux.

BÉRENGER : Lequel est-ce ?

DAISY : On ne peut plus savoir. On ne peut déjà plus le reconnaître !

BÉRENGER : Ils sont tous pareils, tous pareils ! *(À Daisy.)* Il a flanché. Vous auriez dû le retenir de force.

DAISY : Je n'ai pas osé.

BÉRENGER : Vous auriez dû être plus ferme, vous auriez dû insister, il vous aimait, n'est-ce pas ?

DAISY : Il ne m'a jamais fait de déclaration officielle.

BÉRENGER : Tout le monde le savait. C'est par dépit amoureux qu'il a fait cela. C'était un timide ! Il a voulu faire une action d'éclat, pour vous impressionner. N'êtes-vous pas tentée de le suivre ?

DAISY : Pas du tout. Puisque je suis là.

BÉRENGER, *regardant par la fenêtre* : Il n'y a plus qu'eux, dans les rues. *(Il se précipite vers la fenêtre du fond.)* Il n'y a plus qu'eux ! Vous avez eu tort, Daisy. *(Il regarde de nouveau par la fenêtre de face.)* À perte de vue, pas un être humain. Ils ont la rue. Des unicornes, des bicornus, moitié moitié, pas d'autres signes distinctifs ! *(On entend les bruits puissants de la course des rhinocéros. Ces bruits sont musicalisés cependant. On voit apparaître, puis disparaître sur le mur du fond, des têtes de rhinocéros stylisées qui, jusqu'à la fin de l'acte, seront de plus en plus nombreuses. À la fin, elles s'y fixeront de plus en plus longtemps puis, finalement, remplissant le mur du fond, s'y fixeront définitivement. Ces têtes devront être de plus en plus belles malgré leur monstruosité.)* Vous n'êtes pas déçue, Daisy ? n'est-ce pas ? Vous ne regrettez rien ?

DAISY : Oh ! non, non.

BÉRENGER : Je voudrais tellement vous consoler. Je vous aime, Daisy, ne me quittez plus.

DAISY : Ferme la fenêtre, chéri. Ils font trop de bruit. Et la poussière monte jusqu'ici. Ça va tout salir.

BÉRENGER : Oui, oui. Tu as raison. *(Il ferme la fenêtre de face, Daisy celle du fond. Ils se rejoignent au milieu du plateau.)* Tant que nous sommes ensemble, je ne crains rien, tout m'est égal ! Ah ! Daisy, je croyais que je n'allais plus jamais pouvoir devenir amoureux d'une femme.

Il lui serre les mains, les bras.

DAISY : Tu vois, tout est possible.

BÉRENGER : Comme je voudrais te rendre heureuse ! Peux-tu l'être avec moi ?

DAISY : Pourquoi pas ? Si tu l'es, je le suis. Tu dis que tu ne crains rien, et tu as peur de tout ! Que peut-il nous arriver ?

BÉRENGER, *balbutiant* : Mon amour, ma joie ! ma joie, mon amour… donne-moi tes lèvres, je ne me croyais plus capable de tant de passion !

DAISY : Sois plus calme, sois plus sûr de toi, maintenant.

BÉRENGER : Je le suis, donne-moi tes lèvres.

DAISY : Je suis très fatiguée, mon chéri. Calme-toi, repose-toi. Installe-toi dans le fauteuil.

Bérenger va s'installer dans le fauteuil, conduit par Daisy.

BÉRENGER : Ce n'était pas la peine, dans ce cas, que Dudard se soit querellé avec Botard.

DAISY : Ne pense plus à Dudard. Je suis près de toi. Nous n'avons pas le droit de nous mêler de la vie des gens.

BÉRENGER : Tu te mêles bien de la mienne. Tu sais être ferme avec moi.

DAISY : Ça n'est pas la même chose, je n'ai jamais aimé Dudard.

BÉRENGER : Je te comprends. S'il était resté là, il aurait été tout le temps un obstacle entre nous. Eh oui, le bonheur est égoïste.

DAISY : Il faut défendre son bonheur. N'ai-je pas raison ?

BÉRENGER : Je t'adore, Daisy. Je t'admire.

DAISY : Quand tu me connaîtras mieux, tu ne me le diras plus peut-être.

BÉRENGER : Tu gagnes à être connue, et tu es si belle, tu es si belle. *(On entend de nouveau un passage de rhinocéros.)*... Surtout quand on te compare à ceux-ci... *(Il montre de la main la direction de la fenêtre.)* : Tu vas me dire que ce n'est pas un compliment, mais ils font encore mieux ressortir ta beauté...

DAISY : Tu as été bien sage, aujourd'hui ? Tu n'as pas pris de cognac ?

BÉRENGER : Oui, oui, j'ai été sage.

DAISY : C'est bien vrai ?

BÉRENGER : Ah ça oui, je t'assure.

DAISY : Dois-je te croire ?

BÉRENGER, *un peu confus* : Oh ! oui, crois-moi, oui.

DAISY : Alors, tu peux en prendre un petit verre. Ça va te remonter. *(Bérenger veut se précipiter.)* Reste assis, mon chéri. Où est la bouteille ?

BÉRENGER, *indiquant l'endroit* : Là, sur la petite table.

DAISY, *se dirigeant vers la petite table d'où elle prendra le verre et la bouteille* : Tu l'as bien cachée.

BÉRENGER : C'est pour ne pas être tenté d'y toucher.

DAISY, *après avoir versé un petit verre à Bérenger,*

elle le lui tend: Tu es vraiment bien sage. Tu fais des progrès.

BÉRENGER: Avec toi, j'en ferai encore davantage.

DAISY, *tendant le verre*: Tiens, c'est ta récompense.

BÉRENGER *boit le verre d'un trait*: Merci.

Il tend de nouveau son verre.

DAISY: Ah! non, mon chéri. Ça suffit pour ce matin. *(Elle prend le verre de Bérenger, va le porter avec la bouteille sur la petite table.)* Je ne veux pas que ça te fasse du mal. *(Elle revient vers Bérenger.)* Et la tête, comment va-t-elle?

BÉRENGER: Beaucoup mieux, mon amour.

DAISY: Alors, nous allons enlever ce pansement. Ça ne te va pas très bien.

BÉRENGER: Ah! non, n'y touche pas.

DAISY: Mais si, on va l'enlever.

BÉRENGER: J'ai peur qu'il n'y ait quelque chose dessous.

DAISY, *enlevant le pansement, malgré l'opposition de Bérenger*: Toujours tes peurs, tes idées noires. Tu vois, il n'y a rien. Ton front est lisse.

BÉRENGER, *se tâtant le front*: C'est vrai, tu me libères de mes complexes. *(Daisy embrasse Bérenger sur le front.)* Que deviendrais-je sans toi?

DAISY: Je ne te laisserai plus jamais seul.

BÉRENGER: Avec toi, je n'aurai plus d'angoisses.

DAISY: Je saurai les écarter.

BÉRENGER: Nous lirons des livres ensemble. Je deviendrai érudit.

DAISY: Et surtout, aux heures où il y a moins d'influence, nous ferons de longues promenades.

BÉRENGER : Oui, sur les bords de la Seine, au Luxembourg…

DAISY : Au jardin zoologique.

BÉRENGER : Je serai fort et courageux. Je te défendrai, moi aussi, contre tous les méchants.

DAISY : Tu n'auras pas à me défendre, va. Nous ne voulons de mal à personne. Personne ne nous veut du mal, chéri.

BÉRENGER : Parfois, on fait du mal sans le vouloir. Ou bien, on le laisse se répandre. Tu vois, tu n'aimais pas non plus ce pauvre M. Papillon. Mais tu n'aurais peut-être pas dû lui dire, si crûment, le jour de l'apparition de Bœuf en rhinocéros, qu'il avait les paumes des mains rugueuses.

DAISY : C'était vrai. Il les avait.

BÉRENGER : Bien sûr, chérie. Pourtant, tu aurais pu lui faire remarquer cela avec moins de brutalité, avec plus de ménagement. Il en a été impressionné.

DAISY : Tu crois ?

BÉRENGER : Il ne l'a pas fait voir, car il a de l'amour-propre. Il a certainement été touché en profondeur. C'est cela qui a dû précipiter sa décision. Peut-être aurais-tu sauvé une âme !

DAISY : Je ne pouvais pas prévoir ce qui allait lui arriver… Il a été mal élevé.

BÉRENGER : Moi, pour ma part, je me reprocherai toujours de ne pas avoir été plus doux avec Jean. Je n'ai jamais pu lui prouver, de façon éclatante, toute l'amitié que j'avais pour lui. Et je n'ai pas été assez compréhensif avec lui.

DAISY : Ne te tracasse pas. Tu as tout de même fait de ton mieux. On ne peut faire l'impossible. À quoi bon les remords ? Ne pense donc plus à tous ces gens-là. Oublie-les. Laisse les mauvais souvenirs de côté.

BÉRENGER : Ils se font entendre ces souvenirs, ils se font voir. Ils sont réels.

DAISY : Je ne te croyais pas si réaliste, je te croyais plus poétique. Tu n'as donc pas d'imagination ? Il y a plusieurs réalités ! Choisis celle qui te convient. Évade-toi dans l'imaginaire.

BÉRENGER : Facile à dire !

DAISY : Est-ce que je ne te suffis pas ?

BÉRENGER : Oh si, amplement, amplement !

DAISY : Tu vas tout gâcher avec tes cas de conscience ! Nous avons tous des fautes, peut-être. Pourtant, toi et moi, nous en avons moins que tant d'autres.

BÉRENGER : Tu crois vraiment ?

DAISY : Nous sommes relativement meilleurs que la plupart des gens. Nous sommes bons, tous les deux.

BÉRENGER : C'est vrai, tu es bonne et je suis bon. C'est vrai.

DAISY : Alors, nous avons le droit de vivre. Nous avons même le devoir, vis-à-vis de nous-mêmes, d'être heureux, indépendamment de tout. La culpabilité est un symptôme dangereux. C'est un signe de manque de pureté.

BÉRENGER : Ah ! oui, cela peut mener à ça... (*Il montre du doigt en direction des fenêtres sous lesquelles passent des rhinocéros, du mur du fond où apparaît une tête de rhinocéros*)... Beaucoup d'entre eux ont commencé comme ça !

DAISY : Essayons de ne plus nous sentir coupables.

BÉRENGER : Comme tu as raison, ma joie, ma déesse, mon soleil... Je suis avec toi, n'est-ce pas ? Personne ne peut nous séparer. Il y a notre amour, il n'y a que cela de vrai. Personne n'a le droit et personne ne peut nous empêcher d'être heureux, n'est-ce pas ? *(On entend la sonnerie du téléphone.)* Qui peut nous appeler ?

DAISY, *appréhensive* : Ne réponds pas !...

BÉRENGER : Pourquoi ?

DAISY : Je ne sais pas. Cela vaut peut-être mieux.

BÉRENGER : C'est peut-être M. Papillon ou Botard, ou Jean, ou Dudard qui veulent nous annoncer qu'ils sont revenus sur leur décision. Puisque tu disais que ce n'était, de leur part, qu'un engouement passager !

DAISY : Je ne crois pas. Ils n'ont pas pu changer d'avis si vite. Ils n'ont pas eu le temps de réfléchir. Ils iront jusqu'au bout de leur expérience.

BÉRENGER : Ce sont peut-être les autorités qui réagissent et qui nous demandent de les aider dans les mesures qu'ils vont prendre.

DAISY : Cela m'étonnerait.

Nouvelle sonnerie du téléphone.

BÉRENGER : Mais si, mais si, c'est la sonnerie des autorités, je la reconnais. Une sonnerie longue ! Je dois répondre à leur appel. Ça ne peut plus être personne d'autre. *(Il décroche l'appareil.)* Allô ? *(Pour toute réponse, des barrissements se font entendre venant de l'écouteur.)* Tu entends ? Des barrissements ! Écoute !

> *Daisy met le récepteur à l'oreille,*
> *a un recul, raccroche précipitam-*
> *ment l'appareil.*

DAISY, *effrayée* : Que peut-il bien se passer !

BÉRENGER : Ils nous font des farces maintenant !

DAISY : Des farces de mauvais goût.

BÉRENGER : Tu vois, je te l'avais bien dit !

DAISY : Tu ne m'as rien dit !

BÉRENGER : Je m'y attendais, j'avais prévu.

DAISY : Tu n'avais rien prévu du tout. Tu ne prévois jamais rien. Tu ne prévois les événements que lorsqu'ils sont déjà arrivés.

BÉRENGER : Oh ! si, je prévois, je prévois.

DAISY : Ils ne sont pas gentils. C'est méchant. Je n'aime pas qu'on se moque de moi.

BÉRENGER : Ils n'oseraient pas se moquer de toi. C'est de moi qu'ils se moquent.

DAISY : Et comme je suis avec toi, bien entendu, j'en prends ma part. Ils se vengent. Mais qu'est-ce qu'on leur a fait ? *(Nouvelle sonnerie du téléphone.)* Enlève les plombs.

BÉRENGER : Les P.T.T. ne permettent pas !

DAISY : Ah ! tu n'oses rien, et tu prends ma défense !

> *Daisy enlève les plombs, la son-*
> *nerie cesse.*

BÉRENGER, *se précipitant vers le poste de T.S.F.* : Faisons marcher le poste, pour connaître les nouvelles.

DAISY : Oui, il faut savoir où nous en sommes ! *(Des barrissements partent du poste. Bérenger tourne vivement le bouton. Le poste s'arrête. On entend cependant encore, dans le lointain, comme des échos de barrissements.)* Ça devient vraiment sérieux! Je n'aime pas cela, je n'admets pas!

Elle tremble.

BÉRENGER, *très agité*: Du calme! du calme!

DAISY: Ils ont occupé les installations de la radio!

BÉRENGER, *tremblant et agité*: Du calme! du calme! du calme!

> *Daisy court vers la fenêtre du fond, regarde, puis vers la fenêtre de face et regarde; Bérenger fait la même chose en sens inverse, puis tous deux se retrouvent au milieu du plateau l'un en face de l'autre.*

DAISY: Ça n'est plus du tout de la plaisanterie. Ils se sont vraiment pris au sérieux!

BÉRENGER: Il n'y a plus qu'eux, il n'y a plus qu'eux. Les autorités sont passées de leur côté.

> *Même jeu que tout à l'heure de Daisy et Bérenger vers les deux fenêtres, puis les deux personnages se rejoignent de nouveau au milieu du plateau.*

DAISY: Il n'y a plus personne nulle part.

BÉRENGER: Nous sommes seuls, nous sommes restés seuls.

DAISY: C'est bien ce que tu voulais.

BÉRENGER: C'est toi qui le voulais!

DAISY : C'est toi.

BÉRENGER : Toi !

> *Les bruits s'entendent de partout.*
> *Les têtes de rhinocéros remplissent*
> *le mur du fond. De droite, et de*
> *gauche, dans la maison on entend*
> *des pas précipités, des souffles*
> *bruyants de fauves. Tous ces bruits*
> *effrayants sont cependant rythmés,*
> *musicalisés. C'est aussi et surtout*
> *d'en haut que viennent les plus*
> *forts, les bruits des piétinements.*
> *Du plâtre tombe du plafond. La*
> *maison s'ébranle violemment.*

DAISY : La terre tremble !

> *Elle ne sait où courir.*

BÉRENGER : Non, ce sont nos voisins, les Périsso-
dactyles ! *(Il montre le poing, à droite, à gauche, partout.)*
Arrêtez donc ! Vous nous empêchez de travailler !
Les bruits sont défendus ! Défendu de faire du bruit.

DAISY : Ils ne t'écouteront pas !

> *Cependant, les bruits diminuent*
> *et ne constituent plus qu'une sorte*
> *de fond sonore et musical.*

BÉRENGER, *effrayé, lui aussi* : N'aie pas peur, mon
amour. Nous sommes ensemble, n'es-tu pas bien
avec moi ? Est-ce que je ne te suffis pas ? J'écarterai de
toi toutes les angoisses.

DAISY : C'est peut-être notre faute.

BÉRENGER : N'y pense plus. Il ne faut pas avoir de remords. Le sentiment de la culpabilité est dangereux. Vivons notre vie, soyons heureux. Nous avons le devoir d'être heureux. Ils ne sont pas méchants, on ne leur fait pas de mal. Ils nous laisseront tranquilles. Calme-toi, repose-toi. Installe-toi dans le fauteuil. *(Il la conduit jusqu'au fauteuil.)* Calme-toi ! *(Daisy s'installe dans le fauteuil.)* Veux-tu un verre de cognac, pour te remonter ?

DAISY : J'ai mal à la tête.

BÉRENGER, *prenant le pansement de tout à l'heure et bandageant la tête de Daisy* : Je t'aime, mon amour. Ne t'en fais pas, ça leur passera. Un engouement passager.

DAISY : Ça ne leur passera pas. C'est définitif.

BÉRENGER : Je t'aime, je t'aime follement.

DAISY, *enlevant son bandage* : Advienne que pourra. Que veux-tu qu'on y fasse ?

BÉRENGER : Ils sont tous devenus fous. Le monde est malade. Ils sont tous malades.

DAISY : Ça n'est pas nous qui les guérirons.

BÉRENGER : Comment vivre dans la maison, avec eux ?

DAISY, *se calmant* : Il faut être raisonnable. Il faut trouver un *modus vivendi*, il faut tâcher de s'entendre avec.

BÉRENGER : Ils ne peuvent pas nous entendre.

DAISY : Il le faut pourtant. Pas d'autre solution.

BÉRENGER : Tu les comprends, toi ?

DAISY : Pas encore. Mais nous devrions essayer de comprendre leur psychologie, d'apprendre leur langage.

BÉRENGER : Ils n'ont pas de langage ! Écoute... tu appelles ça un langage ?

DAISY : Qu'est-ce que tu en sais ? Tu n'es pas polyglotte !

BÉRENGER : Nous en parlerons plus tard. Il faut déjeuner d'abord.

DAISY : Je n'ai plus faim. C'est trop. Je ne peux plus résister.

BÉRENGER : Mais tu es plus forte que moi. Tu ne vas pas te laisser impressionner. C'est pour ta vaillance que je t'admire.

DAISY : Tu me l'as déjà dit.

BÉRENGER : Tu es sûre de mon amour ?

DAISY : Mais oui.

BÉRENGER : Je t'aime.

DAISY : Tu te répètes, mon chou.

BÉRENGER : Écoute, Daisy, nous pouvons faire quelque chose. Nous aurons des enfants, nos enfants en auront d'autres, cela mettra du temps, mais à nous deux nous pourrons régénérer l'humanité.

DAISY : Régénérer l'humanité ?

BÉRENGER : Cela s'est déjà fait.

DAISY : Dans le temps. Adam et Ève... Ils avaient beaucoup de courage.

BÉRENGER : Nous aussi, nous pouvons avoir du courage. Il n'en faut pas tellement d'ailleurs. Cela se fait tout seul, avec du temps, de la patience.

DAISY : À quoi bon ?

BÉRENGER : Si, si, un peu de courage, un tout petit peu.

DAISY : Je ne veux pas avoir d'enfants. Ça m'ennuie.

BÉRENGER : Comment veux-tu sauver le monde alors ?

DAISY : Pourquoi le sauver ?

BÉRENGER : Quelle question !... Fais ça pour moi, Daisy. Sauvons le monde.

DAISY : Après tout, c'est peut-être nous qui avons besoin d'être sauvés. C'est nous, peut-être, les anormaux.

BÉRENGER : Tu divagues, Daisy, tu as de la fièvre.

DAISY : En vois-tu d'autres de notre espèce ?

BÉRENGER : Daisy, je ne veux pas t'entendre dire cela !

> *Daisy regarde de tous les côtés, vers tous les rhinocéros dont on voit les têtes sur les murs, à la porte du palier, et aussi apparaissant sur le bord de la rampe.*

DAISY : C'est ça, les gens. Ils ont l'air gais. Ils se sentent bien dans leur peau. Ils n'ont pas l'air d'être fous. Ils sont très naturels. Ils ont eu des raisons.

BÉRENGER, *joignant les mains et regardant Daisy désespérément* : C'est nous qui avons raison, Daisy, je t'assure.

DAISY : Quelle prétention !

BÉRENGER : Tu sais bien que j'ai raison.

DAISY : Il n'y a pas de raison absolue. C'est le monde qui a raison, ce n'est pas toi, ni moi.

BÉRENGER : Si, Daisy, j'ai raison. La preuve, c'est que tu me comprends quand je te parle.

DAISY : Ça ne prouve rien.

BÉRENGER : La preuve, c'est que je t'aime autant qu'un homme puisse aimer une femme.

DAISY : Drôle d'argument !

BÉRENGER : Je ne te comprends plus, Daisy. Ma chérie, tu ne sais plus ce que tu dis ! L'amour ! l'amour, voyons, l'amour...

DAISY : J'en ai un peu honte, de ce que tu appelles l'amour, ce sentiment morbide, cette faiblesse de l'homme. Et de la femme. Cela ne peut se comparer avec l'ardeur, l'énergie extraordinaire que dégagent tous ces êtres qui nous entourent.

BÉRENGER : De l'énergie ? Tu veux de l'énergie ? Tiens, en voilà de l'énergie !

Il lui donne une gifle.

DAISY : Oh ! Jamais je n'aurais cru...

Elle s'effondre dans le fauteuil.

BÉRENGER : Oh ! pardonne-moi, ma chérie, pardonne-moi ! *(Il veut l'embrasser, elle se dégage.)* Pardonne-moi, ma chérie. Je n'ai pas voulu. Je ne sais pas ce qui m'est arrivé, comment ai-je pu me laisser emporter !

DAISY : C'est parce que tu n'as plus d'arguments ; c'est simple.

BÉRENGER : Hélas ! En quelques minutes, nous avons donc vécu vingt-cinq années de mariage.

DAISY : J'ai pitié de toi aussi, je te comprends.

BÉRENGER, *tandis que Daisy pleure* : Eh bien, je n'ai plus d'arguments sans doute. Tu les crois plus forts que moi, plus forts que nous, peut-être.

DAISY : Sûrement.

BÉRENGER : Eh bien, malgré tout, je te le jure, je n'abdiquerai pas, moi, je n'abdiquerai pas.

DAISY, *elle se lève, va vers Bérenger, entoure son cou de ses bras* : Mon pauvre chéri, je résisterai avec toi, jusqu'au bout.

BÉRENGER : Le pourras-tu ?

DAISY : Je tiendrai parole. Aie confiance. *(Bruits devenus mélodieux des rhinocéros.)* Ils chantent, tu entends ?

BÉRENGER : Ils ne chantent pas, ils barrissent.

DAISY : Ils chantent.

BÉRENGER : Ils barrissent, je te dis.

DAISY : Tu es fou, ils chantent.

BÉRENGER : Tu n'as pas l'oreille musicale, alors !

DAISY : Tu n'y connais rien en musique, mon pauvre ami, et puis, regarde, ils jouent, ils dansent.

BÉRENGER : Tu appelles ça de la danse ?

DAISY : C'est leur façon. Ils sont beaux.

BÉRENGER : Ils sont ignobles !

DAISY : Je ne veux pas qu'on en dise du mal. Ça me fait de la peine.

BÉRENGER : Excuse-moi. Nous n'allons pas nous chamailler à cause d'eux.

DAISY : Ce sont des dieux.

BÉRENGER : Tu exagères, Daisy, regarde-les bien.

DAISY : Ne sois pas jaloux, mon chéri. Pardonne-moi aussi.

> *Elle se dirige de nouveau vers Bérenger, veut l'entourer de ses bras. C'est Bérenger maintenant qui se dégage.*

BÉRENGER : Je constate que nos opinions sont tout à fait opposées. Il vaut mieux ne plus discuter.

DAISY : Ne sois pas mesquin, voyons.

BÉRENGER : Ne sois pas sotte.

DAISY, *à Bérenger, qui lui tourne le dos. Il se regarde dans la glace, se dévisage.* La vie en commun n'est plus possible.

> *Tandis que Bérenger continue à se regarder dans la glace, elle se dirige doucement vers la porte en disant : « Il n'est pas gentil, vraiment, il n'est pas gentil. » Elle sort, on la voit descendre lentement le haut de l'escalier.*

BÉRENGER, *se regardant toujours dans la glace* : Ce n'est tout de même pas si vilain que ça un homme. Et pourtant, je ne suis pas parmi les plus beaux ! Crois-moi, Daisy ! (*Il se retourne.*) Daisy ! Daisy ! Où es-tu, Daisy ? Tu ne vas pas faire ça ! (*Il se précipite vers la porte.*) Daisy ! (*Arrivé sur le palier, il se penche sur la balustrade.*) Daisy ! remonte ! reviens, ma petite Daisy ! Tu n'as même pas déjeuné ! Daisy, ne me laisse pas tout seul ! Qu'est-ce que tu m'avais promis ! Daisy ! Daisy ! (*Il renonce à l'appeler, fait un geste désespéré et rentre dans sa chambre.*) Évidemment. On ne s'entendait plus. Un ménage désuni. Ce n'était plus viable. Mais elle n'aurait pas dû me quitter sans s'expliquer. (*Il regarde partout.*) Elle ne m'a pas laissé un mot. Ça ne se fait pas. Je suis tout à fait seul maintenant. (*Il va fermer la porte à clé, soigneusement, mais avec colère.*) On ne m'aura pas, moi. (*Il ferme soigneusement les fenêtres.)* Vous ne m'aurez pas, moi. *(Il s'adresse à toutes les têtes de rhinocéros.)* Je ne vous suivrai pas, je ne vous comprends pas! Je reste ce que je suis. Je suis un être humain. Un être humain. *(Il va s'asseoir dans le fauteuil.)* La situation est absolument intenable. C'est ma faute, si elle est partie. J'étais tout pour elle. Qu'est-ce qu'elle va devenir? Encore quelqu'un sur la conscience. J'imagine le pire, le pire est possible. Pauvre enfant abandonnée dans cet univers de monstres! Personne ne peut m'aider à la retrouver, personne, car il n'y a plus personne. *(Nouveaux barrissements, courses éperdues, nuages de poussière.)* Je ne veux pas les entendre. Je vais mettre du coton dans les oreilles. *(Il se met du coton dans les oreilles et se parle à lui-même dans la glace.)* Il n'y a pas d'autre solution que de les convaincre, les convaincre, de quoi? Et les mutations sont-elles réversibles? Hein, sont-elles réversibles? Ce serait un travail d'Hercule, au-dessus de mes forces. D'abord, pour les convaincre, il faut leur parler. Pour leur parler, il faut que j'apprenne leur langue. Ou qu'ils apprennent la mienne? Mais quelle langue est-ce que je parle? Quelle est ma langue? Est-ce du français, ça? Ce doit bien être du français? Mais qu'est-ce que du français? On peut appeler ça du français, si on veut, personne ne peut le contester, je suis seul à le parler. Qu'est-ce que je dis? Est-ce que je me comprends, est-ce que je me comprends? *(Il va vers le milieu de la chambre.)* Et si, comme me l'avait dit Daisy, si c'est eux qui ont raison? *(Il retourne vers la glace.)* Un homme n'est pas laid, un homme n'est pas laid! *(Il se regarde en passant la main sur sa figure.)* Quelle drôle de chose! À quoi

je ressemble alors ? À quoi ? *(Il se précipite vers un placard, en sort des photos, qu'il regarde.)* Des photos !
Qui sont-ils tous ces gens-là ? M. Papillon, ou Daisy
plutôt ? Et celui-là, est-ce Botard ou Dudard, ou Jean ?
ou moi, peut-être ! *(Il se précipite de nouveau vers le
placard d'où il sort deux ou trois tableaux.)* Oui, je me
reconnais ; c'est moi, c'est moi ! *(Il va raccrocher les
tableaux sur le mur du fond, à côté des têtes de rhinocéros.)* C'est moi, c'est moi. *(Lorsqu'il accroche les
tableaux, on s'aperçoit que ceux-ci représentent un
vieillard, une grosse femme, un autre homme. La laideur
de ces portraits contraste avec les têtes des rhinocéros qui
sont devenues très belles. Bérenger s'écarte pour contem-
pler les tableaux.)* Je ne suis pas beau, je ne suis pas
beau. *(Il décroche les tableaux, les jette par terre avec
fureur, il va vers la glace.)* Ce sont eux qui sont beaux.
J'ai eu tort ! Oh ! comme je voudrais être comme
eux. Je n'ai pas de corne, hélas ! Que c'est laid, un
front plat. Il m'en faudrait une ou deux, pour rehausser mes traits tombants. Ça viendra peut-être, et je
n'aurai plus honte, je pourrai aller tous les retrouver.
Mais ça ne pousse pas ! *(Il regarde les paumes de ses
mains.)* Mes mains sont moites. Deviendront-elles
rugueuses ? *(Il enlève son veston, défait sa chemise,
contemple sa poitrine dans la glace.)* J'ai la peau flasque.
Ah, ce corps trop blanc, et poilu ! Comme je voudrais
avoir une peau dure et cette magnifique couleur d'un
vert sombre, une nudité décente, sans poils, comme
la leur ! *(Il écoute les barrissements.)* Leurs chants ont
du charme, un peu âpre, mais un charme certain ! Si
je pouvais faire comme eux. *(Il essaye de les imiter.)*
Ahh, ahh, brr ! Non, ce n'est pas ça ! Essayons

encore, plus fort! Ahh, ahh, brr! non, non, ce n'est pas ça, que c'est faible, comme cela manque de vigueur! Je n'arrive pas à barrir. Je hurle seulement. Ahh, ahh, brr! Les hurlements ne sont pas des barrissements! Comme j'ai mauvaise conscience, j'aurais dû les suivre à temps. Trop tard maintenant! Hélas, je suis un monstre, je suis un monstre. Hélas, jamais je ne deviendrai rhinocéros, jamais, jamais! Je ne peux plus changer. Je voudrais bien, je voudrais tellement, mais je ne peux pas. Je ne peux plus me voir. J'ai trop honte! *(Il tourne le dos à la glace.)* Comme je suis laid! Malheur à celui qui veut conserver son originalité! *(Il a un brusque sursaut.)* Eh bien tant pis! Je me défendrai contre tout le monde! Ma carabine, ma carabine! *(Il se retourne face au mur du fond où sont fixées les têtes des rhinocéros, tout en criant:)* Contre tout le monde, je me défendrai! Je suis le dernier homme, je le resterai jusqu'au bout! Je ne capitule pas!

RIDEAU

De la photographie

au texte

Ferrante Ferranti

De la photographie
au texte

Autoportrait
de Man Ray

… un homme se dédouble sous nos yeux…

L'image se lit d'emblée comme un portrait. Un visage ondule, comme reflété par des eaux frémissantes. Flou et grimaçant d'un côté, plus net et scrutateur de l'autre, un homme se dédouble sous nos yeux. Sous le front ridé, l'œil est torve et la bouche amère ; sous le front lisse, l'œil est fixe et la bouche tombante. Un seul nez, court mais dont l'ombre étirée relie les deux faces du masque mouvant. Le cou, à la peau froissée, ressemble à celui d'une tortue sortant de sa carapace. Derrière l'homme, un miroir déformé donne une clé de lecture. Lui aussi, cependant, se reflète dans l'image et se contente de mettre l'accent sur l'artifice.

Sans légende, impossible d'identifier le personnage photographié ni même, en cadrage serré, d'y déchiffrer un autoportrait. On devine qu'il ne s'agit pas d'un de ces photomontages chers aux dadaïstes, mais bien plutôt de l'effet d'un surréaliste. Après le désastre de la Première Guerre mondiale, les uns dénoncèrent l'art traditionnel et les autres, dans le sillage d'André Breton (1896-1966), fondateur du mouvement, s'attachèrent à révéler les forces de l'inconscient par un dérèglement des formes habituellement perçues.

L'auteur et le sujet de la photographie sont Man Ray. Né en 1890 sous le nom d'Emmanuel Rudnitsky, il peint et sculpte dès 1911, et fait ses premières photographies en 1915. Cofondateur de la section Dada de New York en 1917, il part pour Paris en 1921 et entre en contact avec les surréalistes. Le 1er décembre 1924 paraît la première édition de *La Révolution surréaliste*. Toutes les photographies sont de Man Ray, répondant ainsi au souhait de Breton : « Quand cessera-t-on enfin d'illustrer les livres sérieux avec des dessins au lieu de se contenter de photographies ? » Les images aspirent à visualiser les rêves et les désirs des hommes. Devenu également réalisateur, l'artiste construit son imaginaire sur la représentation. Dès les années 1930, il contribue à faire de la photographie, d'abord utilisée pour faire éclater les pratiques artistiques, le support autonome de l'aliénation surréaliste. Jusqu'à déclarer : « Seul le surréalisme a été la force qui a su sortir de la chambre noire les vraies formes, lumineuses, imposantes. »

… la fonction du théâtre est de mettre au jour les forces cachées…

Ionesco découvre la poésie des dadaïstes et des surréalistes en 1926, à l'université de Bucarest. Il ne peut, par la suite, rester insensible à leurs élans créatifs, et son théâtre s'en ressent. Ne dit-il pas que la fonction du théâtre est de mettre au jour les forces cachées ?

Pour *Rhinocéros*, créé en 1958, au moment où l'avant-garde est en passe d'être reconnue, on pense entre autres à *La Métamorphose* de Franz Kafka (1883-1924) et à l'aquarelle du rhinocéros réalisée en 1515 par Albrecht Dürer (1471-1528). À trois ans de distance, Salvador Dalí et Ionesco se font photographier devant l'animal préhistorique, retenu pour sa dimension mythique. Dalí n'aurait-il pas jubilé à l'idée de peindre la scène visionnaire où Mme Bœuf atterrit sur le dos de son mari métamorphosé en périssodactyle et part au galop en amazone ? Ou plutôt de la photographier, si l'on retient ses écrits : « L'appareil photographique présente des possibilités immédiates pour des thèmes nouveaux où la peinture est obligée de rester dans les limites de l'expérience et de la compréhension. La photographie se promène avec une imagination ininterrompue sur les nouveautés qui, vues sous l'aspect de la peinture, ne peuvent avoir qu'une valeur de signe [...] Imagination photographique : plus souple et plus rapide dans la découverte que les plus obscurs processus du subconscient. »

Au théâtre, la difficulté réside dans le possible de la représentation. Quel contraste entre la précision des didascalies de Ionesco et l'obligation de s'abandonner à l'imagination ! Le dramaturge prévient d'ailleurs : « si on veut faire un décor moins réaliste »... ou « si cela est possible ». D'où la nécessité de s'élever, comme les surréalistes, au-delà du réel pour révéler les dessous de l'âme.

Si les effets de poussière qui envahit une partie du plateau demeurent dans l'ordre du possible, il faut beaucoup d'inventivité et de moyens pour qu'une maison s'ébranle violemment ou qu'un escalier s'écroule... Sans évoquer le passage répété de monstres et, plus encore, la métamorphose à vue d'œil en rhinocéros. Ce n'est pourtant qu'à la toute fin de la pièce que Ionesco semble reconnaître l'efficacité du recours à la stylisation des têtes d'animaux.

… *chacun rêve d'être l'autre…*

Tout semble opposer les deux personnages principaux, Jean et Bérenger, campés d'emblée — théâtre oblige — par leur apparence physique. Jean, impeccable, reproche à Bérenger son laisser-aller.

La première réaction vive de Bérenger traduit son refus de s'intéresser à une réalité, en l'occurrence le passage hasardeux d'un rhinocéros. Quelques scènes auparavant, il avait pour sa tirade emprunté à Pedro Calderón (1600-1681), l'auteur de *La vie est un songe* (1631-1635) : « Eh oui, je rêve… la vie est un rêve. » Quant à Jean, il affirme haut et fort : « Je ne rêve jamais ». Au cœur de leurs débats, les notions qui les opposent sont la liberté et la volonté. Jean soutient que l'homme supérieur est celui qui remplit son devoir tandis que Bérenger avoue ne pas se faire à la vie. Juste avant de trahir, soit de succomber à la rhinocérite, Jean traite Bérenger de sentimental ridicule, l'humanisme étant à ses yeux périmé ! Même si la transformation du premier laisse imperturbable le second, qui des deux est le plus vulnérable ? On en vient à penser que chacun rêve d'être l'autre.

… Le théâtre repose sur le rythme, la photographie sur le temps arrêté…

La métamorphose de Jean est à double titre le thème central de la pièce : dans le temps et par sa signification symbolique. Tout d'abord verbale, dans les clichés et jeux de mots inconscients, elle devient physique, grâce à la trouvaille d'un espace annexe, une salle de bains cachée au spectateur : le prosaïque touche au mythe — ou inversement — et Bérenger constate que chacun peut devenir un autre.

On a vu dans Bérenger un double de Ionesco. Dans la lignée de Fedor Dostoïevski (1821-1881) — auteur du *Double* — et par un artifice repris par des cinéastes aussi imaginatifs ou baroques qu'Alfred Hitchcock (1899-1980) ou Federico Fellini (1920-1993), Ionesco se glisse dans son décor : « Connaissez-vous le théâtre d'avant-garde, dont on parle tant ? avez-vous vu les pièces de Ionesco ? » Bérenger décidera de cultiver son esprit une autre fois ; peut-être à la fin de la pièce, généralement perçue comme essai d'auto-analyse.

Mais toute œuvre, qu'elle soit picturale, photographique, théâtrale n'est-elle pas autoportrait ? Un texte de Man Ray, de 1948, nous aide à y réfléchir : « De toutes les questions qu'on lui pose, "comment faites-vous cela ?" est celle qui devrait provoquer le moins de réactions de la part de l'artiste. […] Toute œuvre et tout jeu sont la signature de leurs auteurs […] l'artiste est le seul véritable sage. Quand son œuvre est confrontée aux autres, ce n'est pas l'artiste qui passe en jugement mais plutôt le spectateur qui se révèle. » Variation sur un propos de 1945 :

« L'expérience dépend du spectateur et de sa com-
plaisance à accepter ce que ses yeux lui transmet-
tent. »

Voilà qui nous éclaire aussi sur le théâtre, en
tenant compte des contraintes qui l'opposent à la
photographie. L'un repose sur le rythme, l'autre sur
le temps arrêté. Par sa nature, une photographie ne
bouge pas. Elle doit se suffire à elle-même. Mais son
temps est à la fois figé et infini.

Dans son autoportrait, non daté, Man Ray ralentit
le temps de pause, et de statique l'image devient
mobile. Le regard du spectateur s'appuie alors sur le
flou pour errer au-delà des apparences. L'œuvre traduit ce que Breton percevait dès 1934 chez Man Ray,
« ce sens du moment pathétiquement juste où l'équilibre, du reste le plus fugitif, s'établit, dans l'expression d'un visage, entre la rêverie et l'action ». Man
Ray qui ose, « par-delà la ressemblance immédiate,
viser à la ressemblance profonde qui engage physi-
quement, moralement, tout le devenir ». Le portrait
« doit pouvoir être [...] un oracle qu'on interroge
[...]. Dans tant de traits contradictoires [...] se compose l'être unique dans lequel nous est donné de
voir le dernier avatar du Sphinx ».

Ces propos, appliqués à des images maîtrisées,
deviennent prophétiques si on les rapporte autant à
cet autoportrait où Man Ray ose la difformité qu'au
monologue de Bérenger au miroir dans le finale de
Rhinocéros. Il a pour cadre la chambre de Bérenger
qui, dans une mise en abyme, ressemble étrange-
ment à celle de Jean. Depuis le début du troisième
acte, on s'attend à une mutation de Bérenger, qui a
repris certaines attitudes de Jean.

... comme un homme fait exploser son image...

La scène finale met en scène Bérenger face à lui-même. Il n'a pas — Botard le prédisait — la vocation de se métamorphoser en rhinocéros, mais son examen de conscience devant son miroir le laisse seul au cœur d'un monde où personne ne le reflète. Pour Emmanuel Demarcy-Motta, récent metteur en scène de *Rhinocéros,* « se regarder dans un miroir, voir son reflet, l'image qu'on renvoie, fait partie de la peur ». Peur de comprendre qu'on n'est pas comme les autres, peur, si on déplace le point de vue du contexte politique vers l'autoanalyse créatrice, de se laisser griser par la conformité.

Tout porte Bérenger au dédoublement : « Je sens mon corps comme si je portais un autre homme que moi sur le dos, je ne suis pas habitué à moi. » La solution, ce n'est pas Botard — qui a taxé Bérenger d'avoir tellement d'imagination (grâce à la boisson) qu'avec lui tout est possible — mais Daisy qui la donnera, à la façon du Rimbaud des *Illuminations* — « j'ai seul la clé de cette parade sauvage ».

Celle qui est joie, déesse, soleil du protagoniste lui assène, en sphinx : « Je ne te croyais pas si réaliste, je te croyais plus poétique. Tu n'as donc pas d'imagination ? Il y a plusieurs réalités ! Choisis celle qui te convient. Évade-toi dans l'imaginaire. »

L'oracle a parlé avant de s'éclipser et de se fondre dans le troupeau, tandis que Bérenger se regarde dans la glace, se dévisage. Il peut bien aller exhumer d'un placard des photographies des acolytes de son passé, puis des tableaux où il croit se reconnaître, il a tout le temps, cette fois, de méditer sur ses états d'âme et sur ses avatars intérieurs. Finis la moquerie, les hallucinations et les déguisements, la peur de la contagion ou la lâcheté, l'ennui avec les paradoxes. Plus question de nier les évidences : Bérenger devient sérieux, à jamais. Chacun trouve la sublimation qu'il peut : il ne lui reste plus qu'à s'opposer, lucidement, suivant le conseil qu'il donnait à Dudard.

Trop tard pour se demander si la métamorphose est de la pratique ou de la théorie. C'est d'ailleurs la force de la photographie de Man Ray. Il est temps, en revanche, de lire le cadrage dans son intégralité, en toute objectivité, et de s'attarder sur le poing brandi, serré comme en signe de défi. C'est lui qui propose une solution technique au dédoublement sans en révéler le mystère. Le photographe appuie sur le déclencheur comme un homme qui fait exploser son image, les deux yeux de son appareil braqués sur lui à la manière d'un canon de fusil.

Quelque chose tient du suicide dans cette métamorphose à vue d'œil. Suicide ou unification de soi ? Rêve impossible d'être autre ?

Breton le disait bien : Man Ray ne reste jamais attaché à la surface du miroir. Fixer cet œil torve, centre lumineux de l'image, c'est faire écho au titre de l'exposition milanaise du photographe, en 1975, *L'occhio e il suo doppio* (« L'œil et son double »). Dans cet œil, lucide, l'artiste se révèle, par sa vulnérabilité même, double mais avant tout authentique. Être pareil aux autres, c'est renoncer à soi. Il reste décalé, en opposition à la foule, au troupeau qui ne l'accepte pas. En un mot, solitaire. *Le Solitaire*, c'est d'ailleurs le titre d'un roman de Ionesco.

Le texte

en perspective

Olivier Rocheteau

Mouvement littéraire

Le renouveau théâtral, entre questionnement et polémique

1.

Des années 1950...

1. *Le traumatisme historique*

Au sortir de la Seconde Guerre mondiale, artistes et intellectuels se trouvent face à un double sentiment. D'un côté, celui d'une déréliction généralisée, d'un effondrement total des valeurs humanistes sur lesquelles les sociétés occidentales se pensaient fondées, et que le premier conflit mondial avait déjà sérieusement ébranlées vingt ans auparavant. Auschwitz et Hiroshima viennent de montrer qu'on peut toujours repousser les limites de l'horreur. D'un autre côté, la victoire des forces alliées sur le nazisme semble ouvrir une période de renouveau dans tous les domaines : un formidable élan intellectuel accompagne la libération des ténèbres culturelles où l'Occupation avait plongé la France. Ce climat impose un double défi : se réapproprier un destin commun en surmontant le traumatisme collectif, et sauver la culture de la débâcle pour lui donner une place éminente dans la reconstruction morale, politique et critique.

Rhinocéros, qui est représenté pour la première fois le 6 novembre 1959 au Schauspielhaus de Düsseldorf, dans une mise en scène de Karl-Heinz Roux, est d'abord une dénonciation vigoureuse de toutes les formes de totalitarisme. Eugène Ionesco (1909-1994) avait connu dans les années 1930 en Roumanie la montée en puissance des fascistes de la Garde de fer, et avait alors tout fait pour échapper à un embrigadement qui transformait ses plus proches amis en monstres méconnaissables. Il présente ainsi le propos de sa pièce dans la revue *Arts* en janvier 1961 : « Je dois dire que le propos de la pièce a bien été de décrire le processus de la nazification d'un pays ainsi que le désarroi de celui qui, naturellement allergique à la contagion, assiste à la métamorphose mentale de sa collectivité. Originairement, la "rhinocérite" était bien un nazisme. Le nazisme a été, en grande partie, entre les deux guerres, une invention des intellectuels, idéologues et demi-intellectuels à la page qui l'ont propagé. Ils étaient des rhinocéros. Ils ont plus que la foule une mentalité de foule. Ils ne pensent pas, ils récitent des slogans "intellectuels". »

La pièce rencontre donc une des préoccupations les plus importantes de l'époque : comment a-t-on pu arriver à une déshumanisation telle qu'elle planifie scientifiquement des millions de morts ? Comment l'individu a-t-il pu s'oublier et s'abandonner à la furie collective en renonçant à toute pensée critique ? Les questions sont d'autant plus vives que la mise en place du rideau de fer entre l'est et l'ouest de l'Europe, l'affrontement des deux grands blocs idéologiques organisés autour des États-Unis capitalistes et de l'URSS communiste laissent présager de nouveaux fanatismes, et suspendent au-dessus de toutes les têtes l'épée de Damoclès d'un nouveau conflit destructeur, dont les premières victimes pourraient être les individus refusant, à l'instar du Bérenger de *Rhinocéros*, de se rallier aveuglément à une cause ou à une autre.

2. *Un monde absurde*

L'homme des années 1950 se trouve ainsi confronté à des tensions qui semblent le dépasser. Son autonomie, la compréhension du monde dans lequel il vit lui échappent en partie. Les intellectuels de l'époque, et en premier lieu les plus rayonnants d'entre eux, Jean-Paul Sartre (1905-1980) et Albert Camus (1913-1960), font le constat d'un monde absurde, dans lequel on ne peut donner véritablement de sens à son action. Les deux auteurs développent un esprit critique qui s'enracine dans le désespoir historique tout en refusant de s'y abandonner : Sartre dépassera l'absurde en élaborant une théorie de l'engagement, Camus fera succéder à son cycle de l'absurde un cycle de la révolte. Si certains critiques de l'époque, notant une convergence des préoccupations entre le diagnostic des penseurs et la représentation d'un monde dénué de signification par une nouvelle génération de dramaturges, ont voulu rassembler le théâtre d'Eugène Ionesco, d'Arthur Adamov (1908-1970) et de Samuel Beckett (1906-1989) sous l'étiquette de « théâtre de l'absurde », cela ne paraît cependant rendre compte ni de la singularité de leur démarche créative, ni de leur volonté de renouveler en profondeur la pratique théâtrale. Eugène Ionesco se démarque de cette étiquette dès 1953 : « On a dit que j'étais un écrivain de l'absurde ; il y a des mots comme ça qui courent les rues, c'est un mot à la mode qui ne le sera plus. En tout cas, il est dès maintenant assez vague pour ne plus rien vouloir dire et pour tout définir facilement » (« Notes sur le théâtre », Cerisy-la-Salle, 1953, *Notes et contre-notes*). Expliquant que tout, autour de lui, lui paraît spectacle, il ajoute : « L'étonnement est mon sentiment fondamental du monde. »

3. *Le renouveau théâtral*

Le théâtre, par sa dimension collective, mais aussi par la place essentielle qu'il occupe dans les pratiques culturelles de l'époque, permet véritablement de comprendre l'ampleur des enjeux et des débats de la période. Un constat semble s'imposer aux nouvelles générations : la scène théâtrale doit se dégager du réalisme pompeux et boulevardier dans lequel l'ont enfermé les dramaturges de l'entre-deux-guerres. Les années 1950 vont ainsi voir apparaître deux expériences parallèles de rénovation. Le metteur en scène Jean Vilar porte l'étendard du « théâtre populaire », un théâtre exigeant, tant dans le choix des textes représentés que dans les parti pris dramaturgiques, mais mis à la portée de tous. Il présente ainsi des mises en scène épurées de grands classiques du répertoire français et étranger, dans des lieux permettant de regrouper le plus large public possible, comme la cour du palais des Papes du festival d'Avignon, qu'il crée en 1947, ou le palais de Chaillot dans lequel il installe le TNP (Théâtre national populaire) en 1951. Jean Vilar se présente ainsi comme un des premiers grands noms du théâtre public, en même temps qu'il contribue à faire du metteur en scène une figure incontournable du monde théâtral.

À l'opposé de ce rayonnement public, dans la plus grande incertitude financière, de petites salles parisiennes, dites « de la rive gauche », parce qu'elles se situent presque toutes sur la rive gauche de la Seine, vont travailler à faire connaître de nouveaux auteurs. Sous l'impulsion de jeunes metteurs en scène, qui travaillent dans un rapport de complicité étroite avec les dramaturges, on monte alors des pièces provocantes, radicales, qui entendent montrer la vacuité du langage ordinaire, mais aussi les codes éculés de la représentation théâtrale « bourgeoise » (le terme désigne alors tout ce qui semble « installé », sclérosé). Le 11 mai 1950, la troupe de Nicolas Bataille donne la première représentation au Théâtre des Noctambules de *La Cantatrice chauve* de Ionesco, qui attire l'attention de la critique, unanime pour crier au scandale. En effet la pièce remet en cause toutes les conventions du récit et du langage articulé, mine la logique commune et bouscule le spectateur, amené malgré lui à assumer sa part dans cette opération de désagrégation organisée, burlesque mais inquiétante, du langage et de la réalité. La même année, Jean-Marie Serreau monte *La Grande et la Petite Manœuvre* d'Arthur Adamov. Au Théâtre de Babylone, *En attendant Godot* de Samuel Beckett est présenté par Roger Blin en janvier 1953, et tient l'affiche plus de 400 représentations. Peu à peu, ces auteurs imposent un refus des conventions héritées du passé. Ils explorent les zones obscures de la condition humaine et mettent en question, d'une manière plus ou moins ludique, les fonctionnements du langage. Ils initient ainsi les spectateurs à une nouvelle façon de concevoir le théâtre. Ce projet qu'ils partagent ne doit pas occulter le fait qu'ils ne se rassemblent pas en école ou en mouvement, et que chacun, tout en se montrant solidaire face à l'incompréhension de la critique, poursuit une œuvre singulière.

2.

... au tournant des années 1960

1. *Consécration du « nouveau théâtre »*

En dix ans, le statut des auteurs du théâtre d'expérimentation va changer. *Rhinocéros* marque l'avènement d'une période nouvelle pour Eugène Ionesco, qu'avait amorcée le succès des *Chaises* au Théâtre des Champs-Élysées en 1956 d'une part, et celui de la reprise par Nicolas Bataille et Marcel Cuvelier de *La Cantatrice chauve* et de *La Leçon* au Théâtre de la Huchette en 1957 d'autre part : ces pièces ne cesseront jusqu'à nos jours d'être jouées dans ce théâtre. Aller assister à une représentation permet d'ailleurs de se faire une idée des conditions matérielles du nouveau théâtre dans les années 1950. Avec *Rhinocéros*, Eugène Ionesco entre au Théâtre de France (l'Odéon), dont la direction vient d'être confiée par André Malraux, ministre d'État chargé des Affaires culturelles, à Jean-Louis Barrault, qui montera aussi *Oh les beaux jours* de Samuel Beckett et *Le Piéton de l'air* de Ionesco en 1963, et n'aura de cesse de promouvoir de nouveaux auteurs. En 1962, *Le Roi se meurt*, monté par Jacques Mauclair à l'Alliance française, connaît un grand succès. En 1966, Jean-Marie Serreau monte à la Comédie-Française *La Soif et la Faim*, et Ionesco reçoit le Grand Prix de la Société des auteurs pour l'ensemble de son œuvre. La reconnaissance et la gloire couronnent son travail, même si celui-ci continue de susciter scandales et remous. À la fin des années 1960, c'est le triomphe pour les « nouveaux dramaturges » : Samuel Beckett reçoit le prix Nobel de littérature en 1969, Eugène Ionesco entre à l'Académie française l'année suivante.

2. *L'avant-garde : le risque d'une définition*

Cette consécration, Eugène Ionesco la vit aussi comme un risque majeur, à plusieurs points de vue. *Notes et contre-notes*, recueil d'articles et de textes théoriques publiés entre 1953 et 1962, témoigne de l'intensité des questions qui se posent alors à un auteur qui, plus que tout, craint la sclérose de l'intelligence critique, et dont le succès, loin de faire taire l'inquiétude, est une nouvelle source d'angoisse. On ne cesse pendant cette période de solliciter Ionesco, de lui demander par exemple de définir ce qu'est pour lui l'« avant-garde ». On le célèbre comme son plus éminent représentant, d'autant plus que Samuel Beckett se refuse à toute intervention publique. Pour flatteuse qu'elle puisse être, cette appellation peut se révéler une étiquette, menaçant à ce titre la singularité créative de l'artiste. Le premier risque encouru alors est celui de sombrer dans l'esprit de sérieux, de perdre un rapport de dérision avec soi-même, comme le confie Ionesco dans un entretien avec Édith Mora pour *Les Nou-*

velles littéraires en 1960 : «Oh, je me suis toujours moqué de moi-même dans ce que j'écris! Il faut d'ailleurs avouer que j'y arrive de moins en moins, et que je me prends de plus en plus au sérieux quand je parle de ce que je fais... Je finis par tomber dans une sorte de piège... Mais, après tout, le fait de me dénoncer, comme je le fais en ce moment, me libère peut-être du piège?»

Second risque : en s'institutionnalisant, en s'officialisant, la voie ouverte par l'avant-garde peut sombrer dans la banalité et perdre son intensité révoltée. Contre l'idée que l'avant-garde pourrait être constituée, comme l'indique le sens initialement militaire de l'expression, de troupes envoyées en première ligne pour découvrir un terrain vierge et peut-être dangereux, troupes appelées à se faire rattraper et dépasser par d'autres, Ionesco propose une définition qui rend acceptable pour lui le fait d'être qualifié d'«avant-gardiste» : «Je préfère définir l'avant-garde en termes d'opposition et de rupture. Tandis que la plupart des écrivains, artistes, penseurs s'imaginent être de leur temps, l'auteur rebelle a conscience d'être contre son temps. En réalité, les penseurs, artistes, ou personnalités de tous ordres n'épousent plus, à partir d'un certain moment, que des formes sclérosées; ils ont l'impression de s'installer de plus en plus solidement dans un ordre idéologique, artistique, social quelconque — qui leur semble actuel mais qui déjà s'ébranle, a des fissures qu'ils ne soupçonnent pas. En effet par la force même des choses, dès qu'un régime est installé, il est dépassé. Dès qu'une forme d'expression est connue, elle est déjà périmée. Une chose dite est déjà morte, la réalité est au-delà d'elle. Elle est une pensée figée. Une façon de parler — donc une façon d'être — imposée ou simplement admise est déjà inadmissible. L'homme d'avant-garde est comme un ennemi à l'intérieur même de la cité qu'il s'acharne à disloquer, contre laquelle il s'insurge, car, tout comme un régime, une forme d'expression établie est aussi une forme d'oppression. L'homme d'avant-garde est l'opposant vis-à-vis du système existant. Il est un critique de ce qui est, le critique du présent — non pas son apologiste » (*Entretiens de Helsinki sur le théâtre d'avant-garde*, juin 1959).

3. *Questionnement et controverse : le rapport à la critique théâtrale*

La volonté affichée des journalistes de classifier, de faire rendre raison de ses œuvres à un auteur, de le faire s'expliquer, méconnaît totalement la spécificité de la création, et peut engendrer de nouvelles idées reçues. Ionesco voit dans tout cela l'occasion de réaffirmer à chaque instant que l'œuvre crée sa propre logique et s'oppose aux systèmes d'interprétation existants, tout comme elle combat un ordre contraignant et immobiliste du monde. Il n'a de cesse d'intervenir pour rappeler que le véritable écrivain est inclassable, affirmation essentielle pour ne pas se trouver entravé dans sa démarche créatrice. C'est en effet dans la création, de l'œuvre et de soi, que l'on peut affronter l'hydre du dogmatisme.

Ionesco trouve à se ressourcer dans la polémique et dans la controverse. Il s'agit bien pour lui de relancer le questionnement sur soi, de garantir à l'œuvre une existence autonome, et d'échapper à toute forme d'interprétation préconstruite. La critique théâtrale a dans les années 1950 une importance proportionnelle au prestige populaire dont jouit le théâtre. Or, la critique théâtrale, celle des quotidiens et des hebdomadaires, des publications spécialisées, a été extrêmement déroutée par les débuts de ce nouveau théâtre, qui disqualifiait l'intrigue, le personnage, le langage, tout ce par quoi on distinguait alors la bonne de la mauvaise littérature. Eugène Ionesco entretient dès ses premières œuvres un rapport particulier à la critique, à qui il reproche, avec plus ou moins d'enjouement, de pouvoir tout affirmer, tout justifier. D'un article à un autre, le même fait peut être interprété d'une manière radicalement différente, et, pire encore, les mêmes journalistes peuvent se dédire outrancièrement, sans jamais sembler relever la moindre contradiction logique dans leurs propos... Véritablement, ces critiques annoncent le logicien de *Rhinocéros*, capable de prouver, au terme de savoureux syllogismes approuvés par un vieux monsieur admiratif, que Socrate est un chat. Au moment même où *Rhinocéros* est présenté en France, Ionesco trouve dans la multitude des constructions contradictoires des critiques l'occasion de s'amuser : « Enfin, les uns ont reproché à l'auteur d'avoir fait un théâtre engagé et d'apporter un "message", tandis que les autres l'ont loué pour les mêmes raisons, tandis que d'autres encore concluaient qu'il n'y avait pas de message, ce qui est un bien, selon celui-ci, un mal, selon celui-là ! » (« Propos sur mon théâtre et sur les propos des autres », mai 1960, *Notes et contre-notes*.)

4. *Du théâtre contre l'idéologie*

La notion d'engagement, théorisée par Jean-Paul Sartre dès 1947 dans *Qu'est-ce que la littérature ?*, est loin d'être innocente. À partir de l'année 1955, la polémique avec la critique va prendre en effet une tout autre tournure. En 1954, Bertolt Brecht (1898-1956) et sa troupe le Berliner Ensemble organisent une tournée en France. Pour beaucoup, c'est une révolution : Brecht présente son « théâtre épique », qu'il oppose au « théâtre dramatique », parce qu'il ne s'agit plus pour lui de permettre au spectateur de s'identifier à un personnage pris dans une intrigue qui imite le réel, mais de raconter une histoire sur scène pour créer une distanciation du spectateur : celui-ci est alors en mesure de tirer des leçons de ce qu'il a vu, au lieu d'en rester à un stade affectif de rejet ou d'adhésion. Le théâtre brechtien met ces principes au service de démonstrations socialement progressistes, politiquement engagées. Des critiques et universitaires importants, à commencer par Roland Barthes (1915-1980) et Bernard Dort (1929-1994), adhèrent à ce projet de rénovation dramatique. Cela les amène à prendre de plus en plus de distance, à la fois avec le TNP de Vilar, accusé d'être trop consensuellement petit-bourgeois, mais aussi avec le nouveau théâtre, dont ils avaient pourtant reconnu la salutaire vitalité. Dans un article de 1955, Bernard Dort souligne la richesse du langage dramatique de Ionesco, mais lui reproche finalement d'en rester à un constat entièrement négatif, de n'afficher aucune volonté de changement social : Ionesco ferait le diagnostic juste d'un langage absurde, permettant et véhiculant l'aliénation, mais présenterait celle-ci comme une fatalité, sans proposer de solution.

Ionesco prend fait et cause contre un théâtre qui ne viserait selon lui qu'à infliger des leçons et imposer aux spectateurs des significations toutes faites, parce qu'il serait totalement tributaire d'une représentation idéologiquement figée du monde. Pour lui, les critiques brechtiens sont largement des rhinocéros, avec lesquels ils partageraient d'ailleurs des caractères distinctifs évidents : « car pour eux, une seule espèce de théâtre est admissible, la coexistence est un mot qu'ils ne comprennent pas » (« Note sur mon théâtre et sur les propos des autres », *Notes et contre-notes*). La plus brillante des salves contre ses adversaires emprunte les moyens du théâtre : il dresse dans son *Impromptu de l'Alma*, en 1956, une satire féroce des intellectuels de son époque. Trois Bartholomeus interchangeables, mais dont les propos permettent de distinguer Barthes et Dort, et, dans le camp politique opposé, Jean-Jacques Gautier, le critique du *Figaro*, se livrent à des analyses obscures, dans une langue amphigourique, et retiennent en otage un dramaturge nommé… Ionesco. La pièce se clôt sur la prise de parole de Ionesco, qui, enflammé, expose ses théories dramatiques, avant que sa bonne ne lui fasse remarquer qu'il devient aussi pédant que ceux qui le tyrannisaient quelques minutes auparavant… La forme de l'impromptu prend ici une importance déterminante : la démonstration théâtrale excède en effet la démonstration théorique. Plutôt que de remplacer une thèse par une autre, Ionesco insiste sur le risque que présente selon lui toute pensée théorique : celui de se perdre dans les méandres du dogmatisme, de la construction formelle, de la logique sophistique, qui parvient à tout ramener au même, en niant jusqu'aux contraires. L'idéologie, comme système dogmatique d'organisation des idées, en viendrait ainsi à anéantir tout esprit de contestation, mais aussi toute dérision. Face à ce risque, une seule réponse : le langage dramatique. C'est la forme la plus à même de libérer les significations.

Ionesco ne se contente pas d'attaquer, de dénigrer, mais il a aussi conscience de l'existence d'un ennemi intérieur qu'il faut combattre, d'une tendance de l'esprit humain qui, pour une raison ou pour une autre, est toujours tenté de rejoindre les rhinocéros. Il est remarquable d'ailleurs de voir dans *Rhinocéros* que les futurs fauves sont poussés à le devenir par des inclinations personnelles différentes, qui renvoient très clairement à des constructions idéologiques dominantes de l'époque : Jean est une sorte de « nietzschéen » rudimentaire, Botard le militant communiste de base, Dudard l'intellectuel sartrien — il cite Sartre, « il vaut mieux critiquer du dedans que du dehors » — qui croit au sens de l'histoire.

Les polémiques occupent une place importante dans *Rhinocéros* : querelle de Jean et de Bérenger, polémique autour des rhinocéros d'Asie et d'Afrique, polémique sur la réalité du rhinocéros, polémiques sur la métamorphose de Jean, puis sur la conversion de Daisy. Elles doivent se comprendre selon une triple approche. D'une part, elles constituent une dynamique théâtrale essentielle. D'autre part, partant d'une réflexion sur un traumatisme historique incontournable, elles permettent à l'écrivain de poursuivre son questionnement sur le monde dans lequel il vit, mais aussi sur le statut de l'écrivain et sur la réception faite à une œuvre. Enfin, on peut y lire une réflexion anthropologique et morale sur ce qui définit l'homme, au risque de la passion et de l'oubli de soi. Moteur du théâtre, moteur de l'écrivain, moteur de l'homme : la polémique s'offre comme une triple puissance dans *Rhinocéros*.

Pour prolonger la réflexion

Robert ABIRACHED, *La Décentralisation théâtrale* vol. 1, *Le Premier Âge : 1945-1958*, et vol. 2, *Les Années Malraux : 1959-1968*, Actes Sud, coll. « Le théâtre d'Actes Sud-Papiers », 2005.

Samuel BECKETT, *En attendant Godot*, Éditions de Minuit, 1952.

Bernard DORT, *Théâtre public*, Seuil, coll. « Pierres vives », 1967.

Eugène IONESCO, *La Cantatrice chauve*, Gallimard, « La bibliothèque Gallimard », n° 11, *Notes et contre-notes*, coll. « Folio essais », n° 163, *Les Chaises* et *L'Impromptu de l'Alma*, coll. « Folio », n° 401.

Marie-France IONESCO, *Portrait de l'écrivain dans le siècle. Eugène Ionesco, 1909-1994*, Gallimard, coll. « Arcades », 2004.

Emmanuel JACQUART, *Le théâtre de dérision. Beckett Adamov Ionesco*, Gallimard, coll. « Tel », 1998.

Jacqueline de JOMARON (sous la dir.), *Le Théâtre en France*, vol. 2, *De la révolution à nos jours*, Armand Colin, 1989.

Geneviève SERREAU, *Histoire du nouveau théâtre*, Gallimard, coll. « Idées », 1966.

Jean VILAR, *De la tradition théâtrale*, Gallimard, coll. « Idées », 1963.

Genre et registre

Le langage théâtral : l'instabilité du signe ou la représentation de la menace

« J'AI ESSAYÉ, PAR EXEMPLE, d'extérioriser l'angoisse (que M. Tynan veuille bien excuser ce mot) de mes personnages dans les objets, de faire parler les décors, de visualiser l'action scénique, de donner des images concrètes de la frayeur, ou du regret, du remords, de l'aliénation, de jouer avec les mots (et non pas de les envoyer promener peut-être même en les dénaturant — ce qui est admis chez les poètes et les humoristes). J'ai donc essayé d'amplifier le langage théâtral. Je crois avoir, dans une certaine mesure, un peu réussi à le faire » (*Notes et contre-notes*).

La controverse de 1959 avec le critique anglais Kenneth Tynan, qui sommait une nouvelle fois Ionesco de se lancer dans un théâtre constructif, c'est-à-dire idéologiquement engagé, amène Ionesco à repréciser la volonté qui l'a animé tout au long de son travail de rénovation dramatique. Ionesco se veut d'abord un découvreur de formes : il souhaite multiplier les possibilités de signifier sur une scène. La bataille contre le théâtre engagé, accusé de subvertir le théâtre à des fins idéologiques, prend tout son sens dans cette perspective d'invention d'un nouveau langage théâtral, où les enjeux sont esthétiques. Pour Ionesco, les signes de la représentation doivent ouvrir les horizons de l'interprétation, et non les réduire : il s'agit bien de donner de l'ampleur aux idées, de créer un foisonnement de questions, et non de limiter et de fixer des intuitions dans un système dogmatique de compréhensions imposées. L'écriture dramaturgique et la pensée du plateau sont donc tout à fait essentielles et indissociables pour comprendre l'originalité de *Rhinocéros*, à la fois au sein de son époque, mais aussi dans le genre théâtral. Si Ionesco a choisi le théâtre, un genre qui, de son propre aveu, ne le fascinait pourtant pas particulièrement au départ, s'il s'y est fait reconnaître comme un des plus importants écrivains du XXᵉ siècle, c'est qu'il y trouve et y invente les formes les plus adaptées pour exprimer son étonnement face au monde. Le théâtre est un ferment d'inquiétude, contre l'assurance orgueilleuse. Le théâtre est le moyen trouvé par Ionesco d'échapper au dogmatisme.

1.

L'inquiétant comique : la parole entre risque et menace

1. *Un joyeux désordre...*

On sait que, dans *La Cantatrice chauve*, Ionesco s'était inspiré pour certaines répliques des phrases d'un manuel de conversation anglais. L'étrangeté et le rire naissaient de situations rendues totalement loufoques par la banalité et l'absurdité d'un langage poussé dans ses ultimes retranchements.

Pour Ionesco, la quotidienneté de la parole est le matériau du dramaturge. C'est sans doute là que résident à la fois la plus grande énergie langagière, mais aussi la plus grande sclérose, dont il convient de faire prendre conscience au spectateur.

Le langage commun est d'abord source de jeu. Dans les deux premiers actes, les mots semblent rire d'eux-mêmes, et entraînent le spectateur dans un joyeux désordre. La variété des effets crée une surprise permanente. Les expressions figées reprennent ainsi de la vigueur : le Logicien, après avoir déduit de syllogismes caricaturalement sophistiques qu'un chat est un chien, et que Socrate était un chat, en vient ainsi à intervertir moutons et chats (« revenons à nos chats », « le chat à cinq pattes »), portant à son paroxysme la confusion animalière. Le chat de la ménagère est d'ailleurs à point nommé écrasé par le rhinocéros pour alimenter « la rubrique des chats écrasés » (Dudard, au début de l'acte II : « C'est écrit, puisque c'est écrit ; tenez, à la rubrique des chats écrasés ! »), ce que refuse de croire Botard (« C'était peut-être tout simplement une puce écrasée par une souris. On en fait une montagne »). Les expressions et proverbes figés par la langue usuelle sont ainsi curieusement démembrés et recomposés, dégageant au cours de leur atomisation une formidable force drolatique. Ce dérèglement s'observe à toutes les échelles du langage, expressions, mais aussi mots (« C'est comme une comète », dit le patron du café après le premier passage du rhinocéros : le comparant prolonge par la paronomase l'outil de comparaison), signifiants comme signifiés, sens propre comme sens figuré... Malgré tout, il n'y a pas dans *Rhinocéros* le systématisme provocant qui faisait la nouveauté de *La Cantatrice chauve* : il ne s'agit plus de remettre en doute et en cause la capacité du langage à exprimer une cohérence d'un monde sclérosé. Le doute vient bien plutôt infiltrer un discours vraisemblable pour y distiller de l'inquiétude.

2. *Montée de l'inquiétude*

Nous reconnaissons en effet parfaitement l'univers représenté, le langage parlé par les personnages : l'inquiétude peut petit à petit s'insinuer. Le signe est réversible : un même élément peut susciter chez nous le rire comme l'angoisse. L'épicière, qui juge «fière» la cliente qui a déserté son magasin, nous fait sourire. La parole quotidienne, sur une scène de théâtre, exhibe son caractère dérisoire, légèrement ridicule. Mais cette parole n'est pourtant pas totalement dévitalisée. Même banale, la remarque conserve ici un sens plutôt menaçant : la rancœur de la commerçante est aussi une forme de rejet d'autrui. Dès la première réplique de la pièce, la comédie sociale prend une tonalité inquiétante. Un peu plus loin, lorsque le chat de l'ingrate ménagère est écrasé par un rhinocéros, les personnages réunis en chœur se tournent les uns vers les autres et se posent la même question : «Qu'est-ce que vous en dites?» Dans deux répliques parallèles, Jean et l'épicière donnent chacun une réponse :

> JEAN : Pauvre femme !
> L'ÉPICIÈRE, *de la fenêtre* : Pauvre bête !

Terrible parallélisme en vérité : le même apitoiement prend des connotations bien différentes... Notre rire ne peut plus être innocent. La question posée est cruciale : de cette réaction, de ce qui est et sera ou non dit, dépend la suite de la pièce, mais surtout le prolongement, la persistance ou la disparition, de l'humanité de chacun. La cacophonie met ainsi sur la brèche la possibilité même de la communauté, que la rhinocérite fragmentera, éparpillera dans la douleur d'un langage perdu.

Lorsque les conversations parallèles, de Jean et de Bérenger d'une part, du vieux monsieur et du logicien d'autre part, se croisent, la facétie d'une écriture dramaturgique virtuose met aussi en évidence une équivalence inquiétante des discours, et une confusion dangereuse des notions et des valeurs : les armes de la logique deviennent celles de la volonté, la grandeur de la culture est mise en parallèle avec la mutilation des chats... Les éléments comiques se chargent d'inquiétude. Il est symptomatique à cet égard que la question du comique paraisse posée à la fin du texte, par le personnage de Dudard, qui reproche à Bérenger son manque d'humour. De quoi s'agit-il ? De quel esprit malin ? Quel rhinocéros a de l'humour ? Quel être humain n'en a pas ? Que peuvent la dérision et l'humour face à une réalité atroce ? L'humour dans un discours libéral relativiste devient un véritable piège qui se referme sur l'auditeur et condamne au silence. La tonalité de la pièce, en évoluant et en se métamorphosant elle-même, est incertaine, oscillant entre gravité et légèreté, entre comique et inquiétante étrangeté, et mime la difficulté à échapper au piège qui ne cesse de menacer.

3. *La parole réversible, le risque de la disparition*

L'interrogation de Bérenger à la fin de la pièce sonne comme le glas d'un langage qui pouvait être signifiant. Daisy, nouvelle Montaigne (qui prend la défense de l'âme des animaux dans les *Essais*), pense que les rhinocéros ont peut-être un langage. À Bérenger qui nie cette possibilité, Daisy oppose l'indécidable : ne pas comprendre les rhinocéros n'est peut-être que la marque d'une défaillance humaine « Qu'est-ce que tu en sais ? Tu n'es pas polyglotte ! » Le langage se perd dans une indistinction qui ne permet plus d'en juger la valeur ou le sens : Daisy disparue, Bérenger ne se reconnaît plus dans ses paroles, et est projeté dans le vide, prisonnier de son écho, guetté par la folie.

N'oublions pas que Daisy, peu avant de partir rejoindre les rhinocéros, avait promis à Bérenger qu'elle resterait à ses côtés, et qu'elle « tiendrait parole ». Cette parole que l'on voudrait « tenir » souffle tout au long de la pièce le chaud et le froid. Le langage peut tour à tour éclairer, montrer, exhiber même : c'est le cas pour les patronymes des personnages ; il peut simultanément obscurcir, entretenir la confusion la plus absolue, manier l'implicite d'une manière destructrice (Botard), justifier l'injustifiable avant de disparaître (Jean). La parole peut tour à tour créer le rire, comme faire jaillir la gravité et l'inquiétude. Elle peut élaborer des théories fumeuses, permettre à l'homme de s'affirmer, mais aussi l'enfermer dans un solipsisme (où rien d'autre n'existe que le sujet) effrayant. Bérenger, lui, parviendra-t-il à retenir le langage ? Se défendre, la carabine à la main, est-ce « tenir parole » ?

2.

Le plateau : espace de destruction
et de métamorphoses

Qu'est-ce qu'un rhinocéros ? Il faut en voir passer deux pour commencer à se poser la question… Rhinocéros d'Asie, rhinocéros d'Afrique, unicorne ou bicorne, les personnages du premier acte, éberlués, ne sont pas bien sûrs de ce qu'ils ont vu. On les comprend : il est très improbable de voir des rhinocéros envahir une ville, tout comme on ne peut envisager de faire monter une bête féroce de plusieurs tonnes sur une scène de théâtre.

1. *Contagion et invasion*

Pourtant, les rhinocéros apparaissent sur la scène : au premier acte, on commence par les entendre (« *Les bruits du galop d'un animal puissant et lourd sont tout proches, très accélérés; on entend son halètement* »), puis la réaction de Jean (« *Jean se lève d'un bond, fait tomber sa chaise en se levant, regarde du côté de la coulisse gauche, en montrant du doigt* ») amorce une prise de conscience de l'étrangeté de ce qui vient de se produire, qui va animer toutes les conversations des personnages. Le rhinocéros, c'est ainsi d'abord un problème de signes non langagiers : il faut rendre sensible la présence d'un animal féroce, sauvage, mystérieux. Le dramaturge utilise toutes les ressources de la paronymie pour qualifier l'animal, tour à tour « quadrupède », « périssodactyle », « monstre »… Les bruits envahissent le plateau, semblant provenir de partout, de directions contraires : le parcours de l'animal, qu'on imagine erratique au milieu des tracés géométriquement organisés et rassurants d'un univers urbain, crée une panique que le son, recouvrant les paroles des personnages, se charge de faire ressentir émotionnellement au spectateur. La scène entre en ébullition, les didascalies insistent sur la rapidité de l'action, la vitesse des répliques et du jeu des comédiens : progressivement, la menace semble se préciser. L'arrivée de Mme Bœuf, dans le premier tableau de l'acte II, essoufflée, fait s'immobiliser l'animal dans la cage de l'escalier du bureau, qu'il vient de pulvériser sous son poids, « *sans doute formidable* ». La férocité veille, toute proche, immobile, mais anxieuse. Les didascalies, pour la première fois, décrivent en effet curieusement les bruits émis par l'animal : M. Bœuf métamorphosé, en quête de sa femme, pousse des « *barrissements angoissés* », puis « *barrit abominablement* ». Comment représenter ces différences et ces variations ? Quels sons peuvent donner de l'expressivité à la férocité ? On sait qu'au troisième acte les rhinocéros, qui ont progressivement pris le contrôle de la ville, envahissent la scène : « *De droite, et de gauche, dans la maison on entend des pas précipités, des souffles bruyants de fauves. Tous ces bruits effrayants sont cependant rythmés, musicalisés. C'est aussi et surtout d'en haut que viennent les plus forts, les bruits des piétinements. Du plâtre tombe du plafond. La maison s'ébranle violemment.* » Mais les bruits des rhinocéros ne ressemblent plus à rien de connu : progressivement, le plateau devient le lieu d'un étrange cauchemar.

2. *Panique sur le plateau*

Le hors-scène est menaçant, le bruit submerge la salle, l'espace se réduit. Le plateau est le lieu de la métamorphose : il est envahi de poussière au premier acte, ébranlé par les attaques répétées de M. Bœuf au second. Au moment de la transformation de Jean, Bérenger doit son salut à l'effondrement d'un mur du fond, la fosse d'orchestre, peuplée de cornes de rhinocéros, interdisant toute possibilité de fuite par la salle au personnage. Selon les choix faits par les metteurs en scène, on voit assez qu'il est possible de faire déborder l'angoisse de la scène sur la salle : les notations du dramaturge tendent en effet à faire du quatrième mur une frontière étanche pour l'individu personnage qui ne peut fuir, mais la salle elle-même peut être envahie de bêtes féroces.

Là encore, tout se joue dans une esthétique de la variation qui laisse redouter le pire, tout en laissant de larges possibilités de figuration aux metteurs en scène. Les lieux les plus habituels deviennent les lieux inquiétants de la métamorphose, de l'horreur : ainsi en est-il de la salle de bains de Jean, ou de l'escalier, qui montre paradoxalement l'impossibilité de s'enfuir. Les personnages sont ainsi forcés à se replier toujours davantage dans une étroitesse qui les ramène de plus en plus vers leur propre intériorité : on passe dans les derniers moments de la pièce d'une représentation du couple à celle d'un Bérenger isolé, cerné. Toutes les ouvertures sur l'extérieur, portes, fenêtres, escaliers se révèlent anxiogènes.

3. *Montrer le rhinocéros*

La transformation à vue de Jean en rhinocéros à l'acte II force tout metteur en scène de la pièce à envisager la représentation du rhinocéros comme un problème. Rien n'indique précisément à quoi doivent ressembler les rhinocéros. Ionesco se joue de cela dans des didascalies de plus en plus oniriques, qui entretiennent volontairement un grand flou sur l'image du rhinocéros : « *On voit sortir de la porte du palier, à gauche, un homme qui descend les escaliers à toute allure ; puis un autre homme, ayant une grande corne au-dessus du nez ; puis une femme ayant toute la tête d'un rhinocéros.* » La monstruosité devient elle-même une question d'intensité qui impose de sortir de tout réseau d'interprétation préétabli : ainsi Bérenger se doit de résister à l'appel d'une masse de rhinocéros dont les « *têtes devront être de plus en plus belles malgré leur monstruosité* ».

Rhinocéros a connu un incroyable succès international qui ne s'est jamais démenti au cours des années. On est frappé de l'inventivité avec laquelle les artistes de la scène ont relevé le défi de la représentation de la rhinocérite. Là encore, on peut établir une échelle de variations, qui irait de la représentation la plus réaliste possible de l'animal et de la transformation à la représentation la plus symbolique. Le premier choix, qui était celui de Jean-Louis Barrault lorsqu'il a monté pour la première fois la pièce en France, en janvier 1960, pousse la pièce, selon les propres mots de Ionesco, vers « la farce terrible » et la « fable fantastique » (*Notes et contre-notes*). Elle peut souligner le comique de certaines situations. À l'autre bout de notre échelle, on peut aussi concevoir que la représentation de la métamorphose ne passe pas par la figuration animale. Intériorisée, elle oblige à s'imaginer la tragédie de l'homme s'aliénant à la toute-puissance de la masse, et devient alors réellement angoissante. Eugène Ionesco laisse dans ses propos sur la pièce une grande marge de possibilités à ses metteurs en scène, mais il semble particulièrement tenir à une certaine noirceur et à une montée de l'inquiétude dans la représentation.

La scène permet l'expression de l'inquiétude et de la menace, mieux que ne le ferait tout autre langage. La méfiance à l'égard du langage articulé entraîne une absolue confiance dans ce que peuvent exprimer les signes dramatiques mis en œuvre sur le plateau. La scène de *Rhinocéros* devient alors effectivement le lieu de l'instabilité. Lors de la représentation, le public perd progressivement, à son insu peut-être, l'assurance de faire du spectacle auquel il assiste un agréable divertissement : les éléments comiques se chargent d'inquiétude, les composantes du plateau se détruisent, tremblent, s'écroulent, disparaissent, les corps des comédiens font l'objet de transformations équivoques. Le langage lui-même n'est plus seulement source de malentendus ludiques et joyeux, mais il nous entraîne dans des métamorphoses périlleuses, de plus en plus menaçantes. Tout semble pouvoir advenir, rien n'est plus directement rattachable à ce que nous connaissons, et ce d'autant moins que l'histoire de Bérenger et de la rhinocérite nous est racontée simplement : le spectateur de *Rhinocéros* est invité à laisser de côté ses repères et ses convictions pour participer à une expérience de l'incertitude et du risque. Le spectateur idéal est sans doute celui qui est capable de regarder avec la curiosité de l'enfant la douloureuse angoisse de son monde d'adulte.

Pour prolonger la réflexion

Marie-Claude HUBERT, *Langage et corps fantasmé dans le théâtre des années cinquante*, José Corti, 1987.

L'écrivain
à sa table de travail

De la nouvelle à la pièce :
le rôle de l'histoire
dans l'écriture dramaturgique

« *RHINOCÉROS* EST UN CONTE que j'ai rendu scénique, c'est une histoire, alors que d'ordinaire ce qui m'intéresse surtout, dans le théâtre, c'est la forme théâtrale. La vraie pièce de théâtre, pour moi, c'est plutôt une construction qu'une histoire : il y a une progression théâtrale, par des étapes qui sont des états d'esprit différents, de plus en plus denses » (« Entretien avec Édith Mora », *Les Nouvelles littéraires*, 1960, *Notes et contre-notes*).

Ionesco compose le recueil *La Photo du colonel* en 1962, en rassemblant sept courts textes narratifs, dont six nouvelles écrites entre 1952 et 1961, le dernier texte (*Printemps 1939*) étant un texte autobiographique mêlant souvenirs, rêves, notations à l'occasion d'un retour de l'écrivain sur les lieux de son enfance. Sur ses six nouvelles, quatre ont été adaptées à la scène par leur auteur. C'est à la demande de Geneviève Serreau, secrétaire de rédaction des *Lettres nouvelles* et épouse du metteur en scène Jean-Marie Serreau, que Ionesco rédigea la nouvelle *Rhinocéros*, publiée pour la première fois en septembre 1957. Le soin porté par l'écrivain à la publication de ses récits courts montre leur importance pour lui au tournant des années 1960. Ils ont en effet nourri et, d'une certaine façon, suscité l'imaginaire de la représentation. Les premières pièces de Ionesco mettaient en effet à mal toute logique, à commencer par celle de l'intrigue : le scandale de *La Cantatrice chauve*, « anti-pièce », tenait pour une grande part à l'absence d'une histoire à laquelle les spectateurs pouvaient se raccrocher. L'adaptation d'une nouvelle pour la scène remet la logique narrative au premier plan. Surtout, pour un écrivain qui n'a eu de cesse de questionner la spécificité de la création dramatique, elle implique un travail particulier de réécriture. La confrontation des deux *Rhinocéros* nous introduit donc dans l'atelier du dramaturge, et nous pousse à nous interroger sur le sens d'un traitement nouveau de l'intrigue et de l'histoire dans la dramaturgie ionesquienne.

1.

Canevas et amplification

1. *Un canevas : le rôle du dialogue*

Il est frappant de constater que la nouvelle se construit d'abord sur le dialogue. Elle propose ainsi comme une trame que le dramaturge va pouvoir développer, et porte en elle l'horizon du jeu : mêmes situations, même tension qui enferme progressivement le personnage principal, de la place publique au bureau, puis à la chambre de Jean et à celle du protagoniste. La nouvelle de Ionesco fonctionne comme un scénario, mais Ionesco, s'il reprend des pans entiers de dialogue, la transforme profondément : l'histoire n'est pas un canevas de jeu, mais un canevas d'écriture pour le dramaturge. La trame narrative se trouve largement réinterprétée scéniquement. Tout le discours d'un personnage comme Botard, à l'acte II, se comprend grâce aux trois didascalies présentant le personnage au début du premier tableau : Botard n'aime pas Dudard, « Il sait tout, comprend tout », et sa posture dans le tableau vivant qui ouvre l'acte en dit long sur lui : *« Botard, les mains dans les poches de sa blouse, un sourire incrédule sur les lèvres, l'air de dire : "On ne me la fait pas." »* Dans la nouvelle, on ne peut se faire une idée de Botard qu'à travers son discours (« Moi je ne l'ai pas vu ! Et je n'y crois pas ! déclara Botard, ancien instituteur qui faisait fonction d'archiviste »), le narrateur personnage se refusant à analyser ou à juger le comportement des autres. Le dramaturge construit d'abord son personnage par la scène, c'est-à-dire par une posture du corps. On donne ici au comédien des intentions de jeu, qui s'incarnent dans une représentation du corps avant de s'entendre dans une parole. Cependant, la parole est première : le rôle du dramaturge pour Ionesco est de donner toutes les indications au comédien ou au metteur en scène pour refléter au mieux une idée (le dogmatisme pédant de Botard masque à peine une volonté infinie de dominer l'autre), que la nouvelle pouvait se permettre de laisser implicite.

2. *Logique de l'amplification*

L'écriture théâtrale de Ionesco procède avant tout par amplification de la nouvelle. Les longues didascalies signalent et précisent les intentions de l'écrivain, mais elles marquent aussi paradoxale-

ment que le texte est, par définition, amené à lui
échapper : elles ne peuvent servir que de balises à
toutes les utilisations que d'autres feront du texte
sur la scène. Pour ne prendre qu'un exemple,
Ionesco commence la nouvelle par ces mots : « Nous
discutions tranquillement de choses et d'autres, à la
terrasse du café, mon ami Jean et moi, lorsque nous
aperçûmes, sur le trottoir d'en face, énorme, puissant, soufflant bruyamment, fonçant droit devant
lui, frôlant les étalages, un rhinocéros. » Dans la
nouvelle, nous sommes plongés au cœur de l'action.
L'absence presque totale de description contraste
fortement avec l'incroyable précision des didascalies
qui ouvrent chacun des actes. Ionesco met en place
dans la nouvelle un espace mental. L'écriture dramaturgique a ainsi le souci permanent au contraire
d'imager, avec une précision scrupuleuse. Ionesco
va jusqu'à imaginer les différents types de salle possible pour la représentation : *« Dans le cas où le théâtre
aurait une fosse d'orchestre, il serait préférable de ne mettre
que le simple encadrement d'une fenêtre, au tout premier
plan, face au public. »* La volonté de maîtrise de ce qui
est montré est patente : même s'il laisse quelques
marges de manœuvre aux metteurs en scène (début
du deuxième tableau de l'acte II : *« Si on veut faire un
décor moins réaliste, un décor stylisé, on peut mettre simplement la porte sans cloison »*), le dramaturge fait de
l'écriture des didascalies un moyen de contrôler les
possibilités de représenter.

De la même façon, si Ionesco ajoute des personnages secondaires, comme l'épicière ou le vieux
monsieur à l'acte I, c'est d'une part pour mettre en
place un réalisme illusoire, que la progression dramatique se charge de détruire d'une manière jubila-

toire, d'autre part pour préciser ses intentions, enfin pour faire de la dynamique théâtrale un questionnement particulier. Le principal ajout est le long dialogue entre Bérenger et Dudard à l'acte III : s'y nouent des enjeux théoriques importants. La devise de Dudard (« Tout est logique. Comprendre, c'est justifier »), loin d'apporter une quelconque résolution au problème soulevé et à l'angoisse de Bérenger, permet de dresser une satire des intellectuels dont la tolérance dangereuse peut être le masque de la lâcheté. La nouvelle pouvait fonctionner comme un appel à la réflexion et au raisonnement ; la pièce semble les dépasser pour aller vers autre chose : une construction du doute qui laisse la part belle à l'angoisse et à la sensation.

2.

Construction du personnage

1. *Intériorité / extériorité*

On a souvent rapproché *Rhinocéros* de *La Métamorphose* (1915) de Franz Kafka (1883-1924), écrivain tchèque d'expression allemande, admiré par Ionesco. Son œuvre, aussi drolatique qu'inquiétante, semble préfigurer tous les déchirements de l'humanisme occidental au XXᵉ siècle. Dans *La Métamorphose*, le protagoniste, Gregor Samsa, se réveille un matin transformé dans son lit en gigantesque vermine. Le héros cherche à vivre sous sa nouvelle forme, mais cela se révèle impossible, tant celle-ci provoque l'aversion, et progressivement la haine, de son entourage familial. La cruauté tout autant que l'étrangeté du récit proviennent de la manière dont la narration omnisciente épouse très souvent le point de vue de Gregor : le récit enregistre les différentes étapes d'une transformation qui ne prendra réellement fin que dans la mort du personnage, devenu une enveloppe vide que la femme de peine se charge de jeter à la poubelle. Le lecteur perçoit ce qu'il reste d'humanité dans le héros-insecte, qui ne peut plus communiquer avec son entourage. La métamorphose animale semble parachever l'impossible appartenance à un société aliénante et déshumanisante. Ionesco, lui, inverse totalement la perspective : dans sa nouvelle, c'est le protagoniste, qui ne porte pas de nom, qui s'exprime. Le récit semble donc opérer une plongée dans une intériorité, mais curieusement, le personnage principal semble nous échapper. Si l'on reconnaît les traits de Bérenger, il paraît évident que Ionesco n'a pas l'intention de donner une psychologie à son personnage : les moments d'introspection sont rares, le personnage se contentant la plupart du temps de faire un relevé scrupuleux de tout ce qui arrive.

Au théâtre, on ne peut pas accéder à l'intériorité d'un personnage, si ce n'est à de brefs moments, sous la forme du monologue ou du faux dialogue (la confession à un personnage subalterne dans la tragédie par exemple), formes dramatiques que Ionesco rejette comme les marques conventionnelles d'un théâtre dépassé, « bourgeois ». Dans la nouvelle, le narrateur-personnage, qui n'a pas de nom, n'offre que peu de prise interprétative au lecteur. La forme se prête à l'introspection, mais Ionesco n'y recourt quasiment pas. « Et au lieu de dépenser tout mon argent disponible en spiritueux, n'était-il pas préférable d'acheter des billets de théâtre pour assister à des spectacles intéressants?» Cette réflexion du personnage de la nouvelle est naturalisée dans le dialogue avec Jean au premier acte. Le dialogue ne vise pas à construire une profondeur psychologique du personnage, mais bien plutôt à tendre comme des lignes de force les relations à soi et aux autres, les caractéristiques individuelles n'apparaissant que comme de faibles remparts.

2. *Entre identification et distanciation*

Le personnage apparaît alors comme un signe à remplir. Paradoxalement, il ne se construit que par rapport à ce qui l'entoure. C'est par réaction, et par capillarité, que Bérenger devient quelque chose. Bérenger est un fil directeur qui ne sait dans quel sens aller… Il nous est impossible de nous y reconnaître totalement : son humanité reste justement à construire jusqu'au bout, et la pièce peut se lire comme une suite de mises à l'épreuve du personnage. On l'a vu, pour Ionesco, le recul analytique prétendument permis par la distanciation brechtienne ne viserait finalement qu'à imposer une opinion, et non à permettre l'expression critique. Pour autant, Ionesco ne réhabilite pas totalement l'intrigue traditionnelle, qui favorise, selon Bertolt Brecht, une identification naïve, et surtout anesthésiante, du spectateur au personnage. Si Ionesco revient à une forme traditionnelle d'intrigue avec *Rhinocéros*, ce qui a été beaucoup souligné et commenté, c'est pour faire de celle-ci un ferment de déstabilisation. Ce que voit le spectateur à la fin du spectacle, c'est l'invasion des rhinocéros : il est ainsi plongé au cœur de l'histoire. Le spectateur est ainsi renvoyé à la fois à sa propre intériorité, sans le refuge d'une identification qui fonctionnerait à plein, et à un sentiment de malaise persistant. *Rhinocéros*, tout en revenant au projet des avant-gardes de dénoncer la vacuité des idéologies, marque une évolution de la pensée formelle dans l'œuvre de Ionesco. L'histoire y est certes réintroduite, mais sur un mode intermédiaire : ni intrigue réaliste ni apologue didactique. Ionesco invente ce qui pourrait être sa voie propre, conscient des débats théoriques de son époque, et des apports de chacun à la cause du théâtre.

3.

Du lecteur au spectateur

1. *De la chute conciliante au dénouement faussement héroïque*

Dans la nouvelle, le protagoniste finit par vouloir convaincre les rhinocéros. Bérenger, lui, finit par se saisir de sa carabine pour entrer en résistance. La fin prend ainsi une tout autre tonalité, qui met en évidence une caractéristique du texte théâtral pour Ionesco. Le récit, d'une certaine façon, édulcore les enjeux, les met à distance, les réfléchit. Le théâtre, lui, les fait ressentir par le biais de l'action. Le sur-saut final de Bérenger renvoie ainsi à la mutation opérée dans le public, auquel on a pris soin de faire ressentir par tous les moyens sensoriels de la repré-sentation l'encerclement, l'enfermement. On ne peut se permettre de laisser le public sortir de la salle sur une note conciliante. L'expérience de la représentation ne se prolonge pas de la même façon que l'expérience de la lecture.

Ionesco refuse de donner un destin à son héros : le dénouement de la pièce s'ouvre sur une mission pour Bérenger, un engagement dont rien ne peut permettre de prévoir l'issue, ni même le déroulement. La fin jette en pâture aux spectateurs l'incertaine création du personnage, qui commence à s'affirmer au moment où le rideau tombe. De plus, Bérenger semble incapable de comprendre et d'assumer une quelconque identité : il ne se définit plus que d'une manière très générique comme « un homme », son discours morcelé emprunte à tous les discours précédemment entendus dans la pièce, et sa réaction finale ne paraît dictée que par l'impossibilité de se transformer en rhinocéros. Cela renvoie certes à la question essentielle de savoir comment chacun d'entre nous réagirait face à l'oppression, mais cela ne résout rien, la carabine paraissant même s'opposer à tout ce que nous avons précédemment vu de Bérenger au cours de la pièce. Ce dénouement n'en est donc pas un.

2. *Transformer le questionnement : le théâtre comme contagion*

L'évolution du personnage de Bérenger permet en fait de déporter la question. Celle-ci n'est plus : « Comment résister au conformisme, au totalitarisme ? », mais « Que faire de notre désespoir ? Que faire de la fièvre destructrice qui anime le monde, qui nous anime peut-être à notre insu ? » Cette transformation de la question rencontre une caractéristique essentielle de la représentation théâtrale, mise à nu par Antonin Artaud (1896-1948) dans *Le Théâtre et son double* (1938) : le théâtre est contagion. Il est essentiel de remarquer que Bérenger s'écarte finalement des chemins de la vertu sociale, d'un ordre de l'humanité qui voudrait une résolution «pacifique» des conflits, qui prône l'argumentation contre la violence. Charlie Chaplin finit *Le Dictateur* par un discours lyrique de l'espoir. Ionesco, lui, prolonge l'inquiétude, parce que le théâtre n'est pas le lieu de la morale, mais dépasse les enjeux du bien et du mal au cours d'une cérémonie dans laquelle tous sont impliqués.

Croire en une vertu positive de *Rhinocéros,* c'est tomber dans le piège d'un nouveau dogmatisme, celui d'une évidence de la résistance armée, ou du désespoir ; c'est ignorer que le théâtre ne fonctionne pas comme le message, et ne peut pas être un apologue, parce qu'il n'est pas qu'une histoire, loin de là. La fin de la pièce tourne en dérision la tentative héroïque, bien plus qu'elle ne la présente comme une solution complaisante à un public qui se rassurerait de cette solution. Croire le contraire, ce serait aussi ignorer cette parenté secrète qui relie le dénouement de *Rhinocéros* à la première fin imaginée pour *La Cantatrice chauve* : après la sortie des comédiens principaux, à un moment où le non-sens semblait culminer, quelques compères dans la salle devaient jouer les spectateurs outragés et excédés : *« cela devait amener l'arrivée du directeur du théâtre suivi du commissaire, des gendarmes : ceux-ci devaient fusiller les spectateurs révoltés, pour le bon exemple ; puis, tandis que le directeur et le commissaire se félicitaient réciproquement de la bonne leçon qu'ils avaient pu donner, les gen-*

darmes sur le devant de la scène, menaçants, fusil en main, devaient ordonner au public d'évacuer la salle». Fin «plus foudroyante», selon les mots du dramaturge. Fin qui confronte l'incroyable vitalité de l'écriture dramatique à la faiblesse ou à l'impuissance de l'homme, qui renvoie chacun à la question de l'individu, mais en prenant soin d'en proposer une représentation problématique et subversive.

3. Explicit *de la nouvelle*

La situation devint pour moi littéralement intenable. C'était de ma faute si Daisy était partie. Qui sait ce qu'elle est devenue? Encore quelqu'un sur la conscience. Il n'y avait personne à pouvoir m'aider à la retrouver. J'imaginai le pire, je me sentis responsable.

Et de partout leurs barrissements, leurs courses éperdues, les nuages de poussière. J'avais beau m'enfermer chez moi, me mettre du coton dans les oreilles : je les voyais, la nuit, en rêve.

«Il n'y a pas d'autre solution que de les convaincre.» Mais de quoi? Les mutations étaient-elles réversibles? Et pour les convaincre il fallait leur parler. Pour qu'ils réapprennent ma langue (que je commençais d'ailleurs à oublier) il fallait d'abord que j'apprisse la leur. Je ne distinguais pas un barrissement d'un autre, un rhinocéros d'un autre rhinocéros.

Un jour, en me regardant dans la glace, je me trouvai laid avec ma longue figure : il m'eût fallu une corne, sinon deux, pour rehausser mes traits tombants.

Et si, comme me l'avait dit Daisy, c'était eux qui avaient raison? J'étais en retard, j'avais perdu pied, c'était évident.

Je découvris que leurs barrissements avaient tout de même un certain charme, un peu âpre certes. J'aurais dû m'en apercevoir quand il était temps. J'essayai de barrir : que c'était faible, comme cela manquait de vigueur ! Quand je faisais un effort plus grand, je ne parvenais qu'à hurler. Les hurlements ne sont pas des barrissements.

Il est évident qu'il ne faut pas se mettre toujours à la remorque des événements et qu'il est bien de conserver son originalité. Il faut aussi cependant faire la part des choses ; se différencier, oui, mais… rester parmi ses semblables. Je ne ressemblais plus à personne ni à rien, sauf à de vieilles photos démodées qui n'avaient plus de rapport avec les vivants. Tous les matins je regardais mes mains dans l'espoir que les paumes se seraient durcies pendant mon sommeil. La peau demeurait flasque. Je contemplais mon corps trop blanc, mes jambes poilues : ah, avoir une peau dure et cette magnifique couleur d'un vert sombre, une nudité décente, comme eux, sans poils !

J'avais une conscience de plus en plus mauvaise, malheureuse. Je me sentais un monstre. Hélas ! jamais je ne deviendrai rhinocéros : je ne pouvais plus changer.

Je n'osai plus me regarder. J'avais honte. Et pourtant, je ne pouvais pas, non, je ne pouvais pas.

(Chute de la nouvelle *Rhinocéros*, 1957,
in *La Photo du colonel*, Gallimard,
coll. « L'Imaginaire », 1962).

Pour prolonger la réflexion

Antonin ARTAUD, *Le Théâtre et son double*, Gallimard, coll. « Folio essais », n° 14, 1985.

Eugène IONESCO, *La Photo du colonel*, Gallimard, coll. « L'Imaginaire », 2003.

Franz KAFKA, *La Métamorphose*, coll. « La bibliothèque Gallimard », n° 128, 2004.

Groupement de textes

Le personnage
au seuil de la monstruosité

« J'AI VOULU, DANS MES PIÈCES, exprimer ou révéler ce qu'il y a de monstrueux dans l'être humain. Je suis en quête de leur monstruosité, et aussi de la mienne, et c'est comme ça que les gens peuvent être dévoilés, en montrant ce qu'ils sont. Une certaine partie de leur conscience, ou leur sous-conscience, a un caractère monstrueux. Ils se révèlent comme monstrueux » (Marie-Claude Hubert, « Entretien à Paris avec Eugène Ionesco, le 10 septembre 1979 », *Langage et corps fantasmé dans le théâtre des années cinquante*, José Corti, 1987).

Le théâtre, et spécialement le genre tragique, montre souvent des personnages en crise, en prise avec des forces qui les dépassent. Le spectateur suit les bouleversements qui s'imposent à eux, dans un tournoiement d'identités qui reflète la complexité de l'individu, ou l'impossibilité d'échapper à un destin qui précipite la catastrophe.

Un vers de la *Phèdre* de Racine résume magistralement les trois dimensions essentielles du personnage de théâtre : « Où suis-je, qu'ai-je fait, que dois-je faire encore ? » Le personnage semble ainsi contenir les enjeux de l'intrigue : de ses changements dépend le déroulement de l'histoire, de ses dilemmes internes qui voient souvent s'opposer le désir et la volonté, la passion et la raison, dépend également le dynamisme de la progression dramatique. Le personnage pose la question de l'action : nous sommes bien face à un enjeu perpétuel du théâtre, retrouvé et problématisé par le théâtre des années 1950.

La métamorphose monstrueuse semble l'aboutissement hyperbolique de cette affirmation essentielle du personnage. Métamorphose au terme de laquelle plus rien ne sera comme avant, moment où le personnage va basculer de l'autre côté : celui des rejetés, des criminels, ou celui des héros célébrés à jamais. Moment de suspens, celui de l'enfer de la réalisation de soi pour le personnage, qui cristallise les angoisses et les désirs du public. Moment de l'excès, où se donne à voir l'irreprésentable — l'impensable même — d'une humanité en proie à ses pires démons : soif de destruction, pulsions meurtrières, négation de soi et du monde. Le monstre qui naît sous nos yeux témoigne de la manière dont le théâtre ne cesse de relancer un questionnement moral sur l'homme, en repoussant les limites de ce qui peut paraître acceptable au spectateur, en se défiant de tout bon sentiment, de toute bonne conscience.

ESCHYLE (525-456 av. J.-C.)

Les Choéphores (458 av. J.-C.)

(trad. Paul Mazon, Folio classique n° 1364)

Eschyle est sans doute le plus grand des auteurs tragiques grecs. Sur les quatre-vingt-dix pièces qu'il a écrites, seules sept nous sont parvenues. Les Choéphores — *le terme désigne des captives porteuses de libations — est le deuxième volet d'une trilogie consacrée à la famille des*

Atrides. Dans la première pièce, Agamemnon, *le héros éponyme, revient victorieux de la guerre de Troie. Mais sa femme, Clytemnestre, qui n'a pas oublié que, pour obtenir des dieux les vents cléments lui permettant de mener ses hommes au combat, Agamemnon avait sacrifié leur fille Iphigénie, se venge de ce meurtre et utilise la ruse pour l'assassiner de ses propres mains, avant de se lier à Égisthe, le frère d'Agamemnon. La malédiction ne semble plus pouvoir s'arrêter. Oreste, fils d'Agamemnon et de Clytemnestre, que sa mère a éloigné de la cour dans la crainte d'une nouvelle vengeance, revient pour restaurer l'honneur des hommes de sa lignée. Mais il n'est pas aisé de commettre un matricide… Toute la pièce présente les hésitations, les scrupules, les douleurs déchirantes du héros qui ne veut accomplir ce que tous exigent de lui. La pièce atteint son paroxysme avec la confrontation entre la mère et le fils, comble de l'horreur pour le personnage et le public. Jusqu'au bout, Oreste cherche à trouver une résolution qui lui manque. Mais le meurtre s'accomplit : Oreste commet le crime effroyable. Clytemnestre poussée hors de scène pour être tuée, l'image du héros change : il ne pourra plus être qu'un criminel impie, poursuivi par les déesses vengeresses, les terribles Érinyes chargées de châtier les crimes de sang commis au sein de la famille. Le crime marque symboliquement sa sortie de l'humanité. Il faudra l'intervention des dieux dans le troisième volet de la trilogie pour enrayer la spirale infernale du sang, et inventer de nouveaux moyens de rendre la communauté politique possible. Jean-Paul Sartre proposera bien plus tard une réécriture du mythe d'Oreste dans* Les Mouches *(1943) : le destin tragique du héros est l'occasion de questionner la manière dont peut s'exercer la liberté de l'homme.*

CLYTEMNESTRE : Malheur sur moi ! Je comprends le mot de l'énigme. Nous allons périr par la ruse, ainsi que nous avons tué. Personne ne me tendra donc vite la hache meurtrière ! Sachons enfin si nous sommes des vainqueurs ou des vaincus — puisque j'en suis là de mon triste destin.

Elle se dirige vers la porte centrale. Celle-ci s'ouvre brusquement. Oreste paraît, l'épée à la main. Pylade est derrière lui. Le serviteur, épouvanté, a fui.

ORESTE : Justement, je te cherche. Pour lui, il a son compte.

CLYTEMNESTRE : Hélas ! tu es donc mort, ô mon vaillant Égisthe.

ORESTE : Tu l'aimes ? eh bien, va donc t'étendre près de lui. Même mort, je t'en réponds, tu ne le trahiras pas.

Il s'élance, l'épée levée. Clytemnestre tombe à ses genoux, déchire sa robe et lui montre son sein.

CLYTEMNESTRE : Arrête, ô mon fils ! respecte, enfant, ce sein, sur lequel souvent, endormi, tu suças de tes lèvres le lait nourricier.

Oreste laisse retomber son épée.

ORESTE : Pylade, que ferai-je ? puis-je tuer une mère ?

PYLADE : Et que deviendraient désormais les oracles d'Apollon, les avis rendus à Pythô, et la loyauté garante des serments ? Crois-moi, mieux vaut contre soi avoir tous les hommes plutôt que les dieux.

ORESTE : C'est toi qui as raison, je le reconnais, et ton conseil est juste. *(À Clytemnestre.)* Suis-moi : je veux t'égorger près de lui. Vivant, tu l'as préféré à mon père : dans la mort dors donc avec lui, puisqu'il est celui que tu aimes et que tu hais celui que tu devais aimer.

CLYTEMNESTRE : Je t'ai nourri, je veux vieillir à tes côtés.

ORESTE : Meurtrière d'un père, tu vivrais avec moi !

CLYTEMNESTRE : Dans tout cela, mon fils, le Destin eut sa part.

ORESTE : Et c'est donc le Destin qui prépara ta mort !

CLYTEMNESTRE : Ah, crains, d'être maudit, mon enfant, par ta mère.

ORESTE : Une mère qui jette son fils à la misère !

CLYTEMNESTRE : Je ne t'ai qu'envoyé dans la maison d'un hôte.

ORESTE : Je fus deux fois vendu, moi, fils d'un père libre !

CLYTEMNESTRE : Où donc est le salaire que, moi, j'en ai reçu ?

ORESTE : J'ai honte à le nommer, ce salaire infamant.

CLYTEMNESTRE : Dis tout, mais dis aussi les fautes de ton père.

ORESTE : Accuser le soldat, toi, assise au foyer !

CLYTEMNESTRE : Fils, il est dur aux femmes d'être loin du mari.

ORESTE : Le labeur du mari nourrit la femme oisive.

CLYTEMNESTRE : Veux-tu vraiment tuer ta mère, ô mon enfant ?

ORESTE : Ce n'est pas moi, c'est toi qui te tueras toi-même.

CLYTEMNESTRE : Prends garde : songe bien aux chiennes[1] de ta mère.

ORESTE : Et celles de mon père, où les fuir, si j'hésite ?

CLYTEMNESTRE : Ah ! Je suis là, vivante, à prier un tombeau !

ORESTE : Le sort fait à mon père te condamne à la mort.

CLYTEMNESTRE : J'aurais donc enfanté et nourri ce serpent !

ORESTE : La terreur de tes songes fut un devin sincère. Tu tuas ton époux, meurs sous le fer d'un fils.

Il entraîne sa mère dans le palais.

(vers 850-935)

---

1. Les Érinyes, déesses de la vengeance.

SÉNÈQUE (4 av. J.-C.-65 apr. J.-C.)

Médée (49-62 apr. J.-C.)

(trad. Pierre Miscevic, Rivages)

Sénèque est surtout connu à la fois pour son action politique et son œuvre de philosophe. Précepteur de Néron, il accompagne une grande partie de son règne, jusqu'à ce que celui-ci, de plus en plus tyrannique, et voulant affirmer sa toute-puissance, exige qu'il se suicide. Philosophe stoïcien, Sénèque est l'auteur de nombreux traités et essais dans lesquels il enjoint ses lecteurs à faire de la vertu et de la raison les principes de leur action. Ses tragédies, inspirées très librement des modèles grecs, ne sont pas dépourvues d'une portée édifiante : il s'agit surtout de montrer le risque infini couru par des hommes qui se livreraient aux passions. Jason veut abandonner son épouse, la magicienne Médée, mère de ses deux enfants, pour épouser la fille de Créon, roi de Corinthe. La vengeance de Médée est terrible : elle tue d'abord Créon et sa fille, puis, au terme d'un long monologue halluciné, prend la décision de tuer ses fils pour punir son mari infidèle. Le caractère proprement effroyable de ce crime prend une portée d'autant plus gênante pour le lecteur qu'il est présenté comme un véritable accomplissement d'elle-même par l'héroïne. Si la décision est déchirante, donc humaine, il n'est point question de remords ici : Médée, qui finit par s'envoler dans les airs, sur un char ailé, parachève son destin et sa métamorphose en dominant une humanité qui ne cessera jamais d'interroger sa monstruosité.

Maintenant, je suis Médée : mon génie pour le mal a grandi. Je suis heureuse, heureuse d'avoir arraché la tête de mon frère ; heureuse d'avoir tranché ses membres, et d'avoir dépouillé mon père de la relique qu'il tenait cachée ; heureuse d'avoir armé des filles pour qu'elles tuent leur vieux père. Cherche un nouvel objet, ma douleur : quel que soit le crime, ta main ne sera pas novice... Où donc t'élances-tu, ma colère ? Quels traits diriges-tu contre un ennemi perfide ? Je ne sais ce que mon esprit farouche a décidé tout au fond de lui-même, sans oser encore se l'avouer. Sotte que je suis ! je me suis trop hâtée. Ah ! si mon ennemi avait déjà eu des enfants de ma rivale !… Tout ce que tu as eu de lui, c'est Créuse qui l'a engendré. Voilà le genre de châtiment qui me plaît ; et il me plaît à juste titre : j'y reconnais le crime ultime ; mon âme, il faut t'y préparer ! Enfants qui autrefois furent miens, vous allez racheter les crimes de votre père… Mon cœur est frappé d'horreur, mes membres se figent, se glacent, mon sein palpite : ma colère s'est évanouie. La mère a chassé l'épouse, et a repris toute la place. Moi, répandre le sang de mes enfants, de ma propre descendance ? Ah ! trouve mieux, fureur démente ! Ce forfait inouï, ce sacrilège inhumain, qu'il reste loin de moi aussi. Quel crime les malheureux expieront-ils ?… Leur crime, c'est d'avoir Jason pour père ; leur crime plus grand encore, c'est d'avoir Médée pour mère. Qu'ils meurent : ils ne sont pas à moi ; qu'ils périssent : ils sont à moi. Ils sont vierges de tout méfait, de toute faute : ils sont innocents, je l'avoue… mon frère l'était aussi ! Pourquoi vacilles-tu, mon âme ? Pourquoi ton visage est-il baigné de larmes ? Pourquoi ces hésitations qui t'écartèlent entre la colère et l'amour ? Un double courant m'entraîne, me ballotte. Lorsque les vents rapides se livrent une guerre sans merci, les flots de la mer, agités en sens opposés, se combattent, et l'Océan irrésolu bouillonne : mon cœur est en proie aux mêmes fluctuations. Ma colère chasse la tendresse, ma tendresse chasse ma colère. Cède à la tendresse, ô ma douleur ! Venez ici, mes fils chéris, unique consolation de ma maison désolée, venez ici et embrassez-moi bien fort. Que votre père vous garde sains et saufs, pourvu que votre mère aussi vous garde… Mais ce qui m'attend, c'est l'exil, la fuite : bientôt, ils vont m'être enlevés, arrachés à

mon sein, pleurant, gémissant ; qu'ils soient morts
pour les baisers de leur père : ils sont morts pour
leur mère. De nouveau ma souffrance s'enflamme,
ma haine s'échauffe. Malgré moi, l'Érinys d'autrefois s'empare de mon bras. Ma colère, conduis-moi,
je te suis ! Plût au ciel que de mon sein fût sortie
l'innombrable progéniture de l'orgueilleuse Tanta-
lide, et que je fusse mère de deux fois sept enfants !
J'ai été stérile pour ma vengeance. Mais pour ven-
ger mon frère et mon père, c'est assez : j'ai mis au
monde deux fils...

Où donc se précipite cette horde déchaînée de
Furies ? Qui cherchent-elles ? Pourquoi préparent-
elles leurs traits enflammés ? Qui cette troupe infernale menace-t-elle, de ses sanglantes torches ? Un
énorme serpent siffle et se tord, comme un fouet
qui s'agite. Qui Mégère poursuit-elle de son redou-
table brandon ? Quelle est cette ombre qui s'avance,
chancelante, le corps en morceaux ?... C'est mon
frère ; il réclame vengeance : je lui donnerai son
dû, mais dans sa totalité ! Enfonce tes torches dans
mes yeux ; déchire-moi, consume-moi : voici ma poitrine offerte aux Furies. Qu'elles s'éloignent de
moi, mon frère, les déesses vengeresses ; ordonne-
leur de retourner sans inquiétude au plus profond
des Enfers. Laisse-moi à moi-même et sers-toi, mon
frère, de cette main qui a tiré le glaive. La victime
par laquelle je vais apaiser tes mânes, la voici. *(Elle
tue l'un de ses enfants.)*

(scène 10)

Pedro CALDERÓN DE LA BARCA
(1600-1681)

La vie est un songe (1635)

(trad. Lucien Dupuis, Folio théâtre n° 36)

Calderón est considéré comme l'un des plus brillants dramaturges du Siècle d'Or espagnol, qui n'en manque pas. Dans La vie est un songe, *pièce au foisonnement baroque, où plusieurs lignes d'intrigue se croisent, il entend montrer que l'homme, dans sa grande vanité, tend à prendre pour des certitudes ou des vérités ce qui n'est qu'illusion. Basile, roi de Pologne, a fait enfermer à la naissance son fils Sigismond dans un donjon éloigné à la frontière de son pays, à la suite de présages qui lui annonçaient que son fils se révélerait incroyablement tyrannique. Le jeune homme grandit là, enchaîné, malheureux, dans l'ignorance totale de sa condition, avec un précepteur pour seule compagnie. En âge de penser à sa succession, le roi est pris de remords et décide de faire revenir à la cour son fils exilé, pour le tester : s'il se montre doux et aimable, il reprendra la place qui lui est due ; si au contraire il fait preuve de sauvagerie, il sera remis en prison, et on lui fera croire que tout ce qu'il a vu n'était qu'un songe. Le jour de l'expérience venu, Sigismond, furieux des révélations qui lui sont faites, réagit en conformité à ce que son père avait voulu lire dans les astres : il n'hésite pas à défenestrer un serviteur qui s'oppose à ses volontés, et veut abuser d'une jeune fille qui éveille ses sens. Basile vient le mettre en garde : derrière l'insolence de la réponse du prince, se révèle l'interrogation d'un être qui ne sait s'il est homme ou bête. Le spectateur est dans l'indécision : Sigismond peut-il être considéré comme responsable de sa férocité ? La monstruosité n'est-elle pas pour Sigismond le seul moyen de se réapproprier une identité qui lui a été déniée ? Le questionnement psychologique rejoint ici la structure dramatique, l'un ne pouvant progresser sans l'autre.*

BASILE : [...] Le plus fort en effet obéit à sa nature. De même, moi qui vois dans tes bras l'instrument de ce meurtre et qui en vois l'endroit ensanglanté, de tes bras je me détourne ; et bien que j'aie nourri la pensée d'enlacer ton cou d'une étreinte pleine d'amour, je m'en retournerai sans l'avoir fait, parce que tes bras me font peur.

SIGISMOND : Je pourrai en rester privé, comme j'en fus privé jusqu'ici ; car un père capable d'user contre moi d'assez de rigueur pour me rejeter loin de lui — effet d'un naturel ingrat —, pour m'élever comme une bête et me traiter comme un monstre, et pour aspirer à ma mort, peu m'importe que ce père me refuse ses bras quand il m'a dénié ma condition d'homme.

[...]

BASILE : Tu es barbare et insolent : le ciel a tenu sa promesse ; c'est donc à lui seul que j'en appelle, arrogant présomptueux ; et quoique tu saches à présent qui tu es et que tu aies appris la vérité, et quoique tu te voies en un lieu où tu as sur tous la prééminence, prends bien garde à l'avis que je te donne : d'être humble et doux, parce que peut-être es-tu en train de rêver, bien qu'il te semble être éveillé.

Il sort.

SIGISMOND : Ainsi peut-être suis-je en train de rêver, bien qu'il me semble être éveillé ? Non, je ne rêve pas, puisque ce que j'ai été et ce que je suis, ce sont des réalités palpables dont je ne puis douter. Et tu auras beau te repentir maintenant, quel recours pourras-tu trouver ? Je sais qui je suis et, en dépit de tes soupirs et de tes regrets, tu ne pourras m'enlever d'être né prince héritier de cette couronne ; et si tu m'as vu d'abord soumis à des chaînes, ce fut parce que j'ignorais qui j'étais. Mais je suis désormais informé de qui je suis, et je sais que je suis un composé d'homme et de bête.

(Deuxième journée)

Edward BOND (né en 1934)

Rouge noir et ignorant,
in Les Pièces de guerre (1985)

(trad. Michel Vittoz, L'Arche)

Edward Bond ne cesse de poser dans son théâtre la question de l'espèce humaine, et de la manière dont celle-ci s'inscrit dans un monde qu'elle a largement contribué à rendre invivable, d'une violence insoutenable. Dans la première partie de ses Pièces de guerre, Rouge noir et ignorant, *le dramaturge met sur scène « un monstre », qu'il imagine ainsi : « La peau du Monstre, ses cheveux, ses vêtements sont grillés, carbonisés, entièrement noirs. Qu'il apparaisse comme taillé dans un morceau de charbon. Ses cheveux, hérissés, des pointes raides, se dressent comme des clous. (Le monstre peut également être entièrement rouge.) » Cette didascalie met en place dramaturgiquement une hésitation à partir de laquelle le questionnement incandescent de la pièce peut se déployer : qu'est-ce que la monstruosité ? Comment la représenter ? Quelles sont les formes contemporaines de notre fatalité d'être au monde ? Le personnage du monstre « revit » différentes situations — humiliation de l'enfance et de l'éducation, naissance et dérive du couple, aberrations de la misère sociale — dans lesquelles il est tour à tour victime impuissante ou oppresseur compulsif. Il est impossible pour le spectateur de fixer ce personnage indéfinissable : qui, d'ailleurs, est coupable ? Qui peut se prétendre innocent ? Le public est alors renvoyé brutalement à une violence du monde qui se réalise sous ses yeux, sans l'horizon rassurant d'une explication. Dans sa première réplique, le monstre avait pris à parti le public : « Si ce qui arrive paraît tel que des êtres humains ne puissent pas permettre que de telles choses arrivent, c'est que vous n'avez pas lu les histoires de votre temps. »*

Dans la scène proposée, le Fils, que les différents personnages ont habillé en soldat alors qu'il chantait « Je suis

l'armée », *revient comme fanatisé auprès de ses parents :
c'est la guerre, il semble y avoir une crise de subsistance,
les rues ne sont plus que décombres. La métamorphose
monstrueuse s'est opérée sous les yeux du public, mais n'est
pas encore achevée : le principe même de l'horreur semble
être de se nourrir de son propre excès, le théâtre repousse les
limites de ce que peut endurer le spectateur...*

LE FILS

J'aime l'armée
Quand on est soldat tous les problèmes sont résolus
    par l'entraînement
Tuer ou être tué
Pas d'excuse pas d'explication
Tu jacasses tout le temps sur le bien et le mal
Faire ce qui est bien ? — ça rend autant service
    qu'un manteau à un crevé de cadavre
Dans l'orage l'espace entre les gouttes de pluie
    n'empêche pas qu'on soit mouillé
Tu peux *arrêter l'orage* ?
Je n'ai pas honte de dire pourquoi je suis ici
Chaque engagé a été renvoyé dans son quartier
    pour abattre un crevé de civil
Il choisit qui
Prendre des décisions difficiles
Tester ses possibilités
Se connaître soi-même
Quand on a des viseurs dans les yeux et des gâchettes
    à chaque doigt on peut s'appeler un soldat

LE MONSTRE

Tu ferais ça ?

Le Fils parle, le Monstre s'éloigne tristement.

LE FILS

Par bon sens ouais
Tu crois que maintenant c'est la famine ?
L'année prochaine vous aurez tellement faim que
    vous serez comme les crevés de cadavres qui man-

gent les clous de leur cercueil et qui cherchent
autre chose à bouffer

*Il enlève son gilet pare-balles et le tend à sa
mère.*

Quand cette opération sera terminée vous aurez
tellement crevé de trouille que vous vous offrirez
pour charger nos fusils quand on vous collera
contre le mur au cas où on vous ferait un truc
vraiment tordu
Les rues seront silencieuses comme un cimetière
où des sourds-muets forment cortège et où les
crevures de cadavres ont fait vœu de silence
Après ça quelques rafales de mitraillettes suffiront à
mater les émeutes de la faim et quelques pendai-
sons aux hélicoptères
Sans ça il aurait fallu qu'on vous passe dessus à la
tondeuse à pékin
Au fond l'armée fait cela pour le bien public

LA FEMME DU MONSTRE

Il ne reste que deux familles dans le quartier :
Nous et un vieux couple dans la maison au coin de
la rue

LE MONSTRE

Il les connaît depuis qu'il est tout petit

LE FILS

Nous ne sommes pas obligés de choisir
Les ordres stipulent qu'on peut confier le soin de
choisir à l'officier

LA FEMME DU MONSTRE

Non non non
Il me choisirait ou bien ton père
Pour te punir de ta lâcheté

Au Monstre.

Ne discute pas avec lui
C'est le tourmenter pour rien

Ce n'est pas lui qui a fait ce gâchis : c'est nous
   qui —

LE MONSTRE

Il est assis devant nous habillé comme un être
   humain et il parle notre langue
Ce que mangent les humains ne t'a pas empoi-
   sonné ?

LA FEMME DU MONSTRE

Assez
C'est facile de parler !
De juger de son fauteuil !

LE MONSTRE

Fuis et cache-toi dans les ruines
Il y a des communautés entières qui vivent en
   dehors de la loi

LA FEMME DU MONSTRE, *expliquant simplement
et clairement pour qu'il comprenne.*

Non non je te l'ai dit.
S'il ne choisit pas l'officier ne demandera même
   pas s'il reste quelqu'un d'autre dans le quartier
Il nous abattra *tous les deux* pour le punir
Il y aura deux tués au lieu d'un seul

LE MONSTRE *sans émotion, descriptif.*

Nous vivons comme des prisonniers dans la cellule
   des condamnés à mort chaque jour en face de la
   mort
Avant il y avait des espaces entre les barreaux : il les
   ont bouchés
Si une grâce arrivait ils s'en serviraient pour faire la
   liste des condamnés
Peut-être qu'il vaut mieux mourir

LA FEMME DU MONSTRE

Et si c'est moi qu'ils abattent

LE MONSTRE

J'espère que ça pourra être moi mais ce qui se passe
   j'y peux rien

LA FEMME DU MONSTRE

Alors c'est toi le monstre et pas notre fils !
Qu'est-ce qu'on peut faire au fond ?
Se battre pour soi
Son fils ou son mari
Je me battrai pour eux !
Bec et ongles !
Comme se battrait la femme de la maison au coin
   de la rue !

Elle embrasse son fils.

Pauvre enfant
Je ne te blâme pas
Jamais jamais je ne le ferai
Si tu étais libre tu aiderais ces gens
Tu étais un enfant gentil
Tu sifflais toujours en arrivant dans notre rue
J'écoutais dehors pour t'entendre
Maintenant ton visage est comme la pierre au som-
   met d'une montagne
As-tu dit à l'officier que tu te rendais à la maison du
   coin de la rue ?

LE FILS

Non

LA FEMME DU MONSTRE

C'est bê-bête
Si tu lui avais dit tout serait arrangé maintenant
Ce serait trop tard pour le laisser choisir : il te puni-
   rait pour avoir changé d'avis

Soudaine suspicion.

Pourquoi es-tu venu ici ?

Pourquoi n'es-tu pas allé directement au coin de la
rue ?

LE FILS

Je ne sais pas

Chronologie

Eugène Ionesco et son temps

1.

Entre la France et la Roumanie
(1909-1938)

Eugen Ionescu naît le 26 novembre 1909 à Slatina en Roumanie : l'enfant porte le même nom que son père, roumain. Sa mère, Thérèse Ipcar, est d'origine française. L'enfance de l'écrivain se déroule entre la France et la Roumanie. Le père emmène en effet sa famille en France en 1911, où il prépare une licence de droit, avant de retourner seul en Roumanie en 1916, où il divorcera secrètement avant de se remarier. Entre 1917 et 1919, Ionesco et sa sœur séjournent chez des fermiers à La Chapelle-Anthenaise, en Mayenne : ces deux années profondément heureuses ne cesseront d'être pour lui une source d'inspiration et de rêverie, ce dont témoignent de nombreux textes autobiographiques de l'écrivain. Le retour à Paris en 1920 marque la fin de cet éden enfantin.

Le père, qui ne donna aucun signe de vie à sa première famille pendant des années, paraît par la suite violent et autoritaire, mais aussi veule et prêt à toutes les compromissions avec les pouvoirs, quelle que soit leur coloration politique. Sans faire de psychologie abusive, on peut sans doute y déceler les prémices d'une relation complexe, critique et désabusée, de l'écrivain avec l'autorité. L'autorité est à la fois la puissance à défier, dont on n'a rien à attendre, mais aussi la force qui peut frapper de manière arbitraire, sans autre souci que celui de se préserver.

En 1922, le père rappelle ses enfants à Bucarest. Ionesco, qui ne parle alors pas le roumain, vit cela comme un nouveau déchirement. Mais il apprend vite la langue paternelle, et c'est en roumain qu'il rédige ses premiers textes, des poèmes. Il passera toutes les années de l'enfance et de la jeunesse entre les deux langues : on a souvent fait remarquer que, comme pour Samuel Beckett, qui a écrit en français et en anglais, le bilinguisme a pu jouer un rôle dans l'établissement d'un rapport créatif et critique singulier avec le langage. En 1929, le baccalauréat obtenu, il s'inscrit en faculté de français à Bucarest, et obtient en 1934 la *Capacitate* en français, diplôme de fin d'études lui ouvrant les portes de l'enseignement.

Ces années d'étudiant marquent surtout sa véritable entrée en littérature, contre l'avis de son père qui aurait voulu qu'il soit ingénieur. Entre 1929 et 1935, il publie un très grand nombre d'articles dans différentes revues. *Élégies pour êtres minuscules*, plaquette de poèmes rédigés en roumain, date de 1931. *NU* (*Non* en français), publié en 1934, recueil d'articles critiques, auxquels il mêle des fragments de journal intime, fait véritablement sensation : le jeune auteur s'y attaque vigoureusement à des gloires littéraires roumaines, y croise le fer brillamment avec des grands noms de la critique, et révèle son talent pour une controverse à la fois amusante et sarcastique, ne reculant ni devant la puissance de ses adversaires, ni devant les lois d'une logique qui lui paraît irrespirable et aliénante. Entre la poésie et la théorie, entre le rire et le rêve, entre la lutte et l'affirmation de soi : dès le départ se donnent à lire les lignes de force de l'œuvre à venir.

L'année 1936 est placée pour Ionesco sous le double signe du bonheur et du deuil : il épouse Rodica Burileanu à Bucarest en juillet, et perd sa mère en octobre. Ionesco est alors professeur de français. Il obtient en 1938 une bourse de l'Institut français de Bucarest pour préparer en France une thèse de doctorat sur « la poésie française depuis Baudelaire ». De violents troubles politiques agitent la Roumanie. Les mouvements fascistes et populistes, comme la Garde de fer d'inspiration mussolinienne, laissent augurer le pire.

1914	Assassinat de Jean Jaurès. Début de la Première Guerre mondiale.
1915	Franz Kafka, *La Métamorphose*.
1917	Révolution russe.
1922	En Italie, Mussolini mène ses troupes fascistes au pouvoir. En URSS, Staline accède au pouvoir. James Joyce, *Ulysse*.
1924	André Breton, *Manifeste du surréalisme*.
1933	Hitler accède au pouvoir en Allemagne.
1936	Réoccupation par l'Allemagne de la Rhénanie. Victoire du Front populaire en France. Guerre civile en Espagne.

2.

La littérature et la tourmente
(1938-1959)

Ionesco est mobilisé en Roumanie en 1940, mais va enseigner au lycée Saint-Sava à Bucarest. La « drôle de guerre » s'achève sur la défaite de la France et le vote des pleins pouvoirs au maréchal Pétain. Ionesco est bouleversé et désespéré. Il ne songe qu'à regagner la France, et trouve une occasion en acceptant un poste d'attaché de presse puis de secrétaire culturel près la légation roumaine installée à Vichy, où il reste jusqu'en 1944. Il se consacre alors à la traduction et à l'édition d'auteurs roumains. Pour lui, la Roumanie, géographiquement étouffée entre l'Allemagne et la Russie, n'a d'autre choix que de faire profil bas, sous la domination de son encombrant et tout-puissant allié allemand, mais l'écrivain place tous ses espoirs dans une politique officieuse de renversement des alliances menée par certains diplomates roumains.

Cette période renforce encore chez Ionesco son aversion pour les idéologies. Dès 1940, l'écrivain se sent vivre parmi les « rhinocéros » : « Autour de 1940. [...] Comment faire pour regagner la France. Là, on peut encore se faire comprendre. On a l'impression que ce désir même est coupable. C'est comme un péché de ne pas être rhinocéros. Mais les rhinocéros se battent entre eux. Des centaines de milliers de rhinocéros arrivent du nord, de l'est, de l'ouest. Toutes les armées sont des armées de rhinocéros. Tous les soldats des justes causes sont des

rhinocéros. Toutes les guerres saintes sont rhinocériques. La justice est rhinocérique. Les révolutions
sont rhinocériques. »

À la fin de la guerre, et après la naissance de leur
fille Marie-France en 1944, les Ionesco s'installent
à Paris. La période qui commence est incertaine
matériellement pour la famille. Ionesco, tout en
poursuivant ses activités d'écrivain et de traducteur,
est contraint d'accepter des petits travaux : il est un
temps manutentionnaire chez le fabricant de pein-
tures Ripolin, puis devient correcteur d'épreuves
chez Durieu, un important éditeur scientifique et
juridique. Il conservera ce poste, qui n'est pas sans
rappeler celui occupé par Bérenger dans *Rhinocéros,*
jusqu'en 1955.

Parallèlement, Ionesco s'investit totalement dans
le travail de rénovation de la scène théâtrale menée
par une troupe de jeunes gens que les conventions
du théâtre bourgeois révulsent. La création de *La
Cantatrice chauve*, le 11 mai 1950 (la même année,
Ionesco se fait naturaliser français), apparaît comme
un événement fondateur de ce « nouveau théâtre ».
Suivent *La Leçon*, en 1951, *Les Chaises* en 1952, *Victimes du devoir* en 1953, *Amédée ou Comment s'en débarrasser* en 1954, *Jacques ou la Soumission* en 1955. S'il se
distingue avant tout par ses talents d'écriture, pro-
duisant des pièces jugées scandaleuses qui font de
plus en plus parler d'elles, il n'hésite pas à se produire comme comédien, et assiste le travail des metteurs en scène de ses textes. Il adhère aussi au Collège
de pataphysique, cercle qui regroupe des artistes
comme Boris Vian (1920-1959), Raymond Queneau
(1903-1976), Marcel Duchamp (1887-1968), Jacques
Prévert (1900-1977), Michel Leiris (1901-1990), dont

il sera membre jusqu'en 1974. Tous ont en commun une certaine radicalité critique et comique, et un anticonformisme mis au service de la création.

Les polémiques multiples font rage pendant cette période, qui contribuent aussi à faire connaître et comprendre les enjeux de ce nouveau théâtre exigent, innovant et porteur d'un véritable questionnement esthétique, mais aussi métaphysique. En 1957, la reprise de *La Cantatrice chauve* et de *La Leçon*, au Théâtre de la Huchette, est un succès. La réputation du dramaturge dépasse les frontières : Ionesco voyage énormément, est invité dans de nombreuses villes européennes pour expliquer ses principes dramatiques. *Rhinocéros*, pièce rédigée en 1958, est montée presque simultanément sur trois grandes scènes européennes : au Schauspielhaus de Düsseldorf dans une mise en scène de Karl-Heinz Roux en novembre 1959, à l'Odéon-Théâtre de France en janvier 1960 par Jean-Louis Barrault, au Royal Court de Londres par Orson Welles.

1938	Accords de Munich. Jean-Paul Sartre, *La Nausée*. Antonin Artaud, *Le Théâtre et son double*.
1939	Début de la Seconde Guerre mondiale.
1940	Les Gardes de fer accèdent au pouvoir en Roumanie. Charlie Chaplin, *Le Dictateur*.
1950-1953	Guerre de Corée.
1953	Mort de Staline. Samuel Beckett, *En attendant Godot*.
1956	Insurrection à Budapest écrasée par l'armée soviétique.
1957	Traité de Rome : création de la CEE. Albert Camus reçoit le prix Nobel de littérature.

3.

Reconnaissance, influence, inquiétude
(1960-1994)

L es décennies suivantes vont confirmer et amplifier ce succès : artiste à la réputation internationale, Ionesco apparaît de plus en plus comme une
référence incontournable, et voit ses pièces montées
et reprises sur les scènes les plus fameuses. Il est élu
à l'Académie française en 1970.

Sans jamais cesser d'écrire des pièces, Ionesco
explore des perspectives littéraires qui avaient été les
siennes dès le départ, mais que son succès théâtral
avait un peu occultées. En 1962, année de la création du *Roi se meurt*, où l'on assiste à l'agonie d'un
Bérenger roi refusant la montée inéluctable de la
mort, Ionesco publie *Notes et contre-notes,* qui regroupe
un vaste ensemble de ses textes consacrés au théâtre.
Ce recueil, qu'il reprendra et complétera au cours
des années suivantes, paraît tout à fait essentiel pour
comprendre les fondements et les enjeux de la
dramaturgie ionesquienne. À ce travail théorique
s'ajoute une création autobiographique qui tend
à prendre une place de plus en plus importante
dans l'œuvre littéraire : Ionesco publie ses journaux
intimes — *Journal en miettes* en 1967, *Présent passé.
Passé présent. Passé présent* en 1968, *La Quête intermit-
tente* en 1987 —, mais aussi un certain nombre d'entretiens qu'il accorde à des journalistes ou à des
écrivains. Cette partie de son œuvre, trop méconnue,
laisse se développer une vision à la fois angoissée
et onirique du monde. Enfin, il consacre de plus en

plus de temps à la peinture, qui l'occupera beaucoup pendant la dernière période de sa vie.

Ionesco se distingue de plus par l'attention qu'il porte à l'actualité internationale. Il vit les déchirements de la planète avec une sensibilité exacerbée, sans jamais renoncer pourtant à s'impliquer dans les causes qui lui paraissent justes, à les servir de sa notoriété : le désespoir chez Ionesco est avant tout le moteur d'une attention au monde, d'une volonté de s'exprimer contre sa fureur. Le repli sur soi peut lui être imposé par des épisodes de maladie ou de dépression, mais jamais il ne lui a semblé être une solution au chaos dans lequel il se voyait vivre. Au contraire, il déplore l'absence d'une «conscience mondiale nette» (*Antidotes*), qu'il appelle de ses vœux pour endiguer les débordements de son époque. Il confie ainsi à André Coutin, peu avant la perestroïka (*Ruptures de silence*) : «Je suis comme Job, l'homme qui a perdu la divinité et qui, tourné vers le vide, n'y comprend plus rien. La seule force qui me reste, c'est le refus. Le refus de me soumettre, d'accepter d'échanger la liberté contre la tranquillité, l'anesthésie. Ce pacte moderne du diable auquel tant de gens sacrifient dans les pays opprimés "pour ne pas être inquiétés". »

Libertaire, contre toute structure, en premier lieu celle de l'État, son engagement est aussi empreint d'un scepticisme permanent, et d'une soif de spiritualité difficile à satisfaire pleinement : la quête de la lumière, manifestation d'une présence transcendante ressentie fugacement à dix-huit ans, la seule qui puisse apaiser un peu l'inquiétude métaphysique, qui puisse donner sens. Dans les années 1980, sa santé se fragilise, mais il continue à s'engager en faveur de la liberté d'expression, soutenant par exemple Salman Rushdie en 1989, et voyage beaucoup. Il meurt le 28 mars 1994 à Paris.

1962	Fin de la guerre d'Algérie.
1965	Le général de Gaulle réélu président de la République.
1967	Guerre des Six-Jours en Israël.
1968	Printemps de Prague. Émeutes en France.
1969	Samuel Beckett reçoit le prix Nobel de littérature.
1971	Stanley Kubrick, *Orange mécanique*.
1973	Fin de la guerre du Vietnam.
1975	Début de la guerre civile au Liban. Mort de Franco.
1980	Guerre Iran-Irak.
1981	François Mitterrand (socialiste) est élu président de la République. Abolition de la peine de mort en France.
1985	Gorbatchev accède au pouvoir en URSS : début de la perestroïka.
1989	Chute du mur de Berlin.
1991	Guerre du Golfe.

Éléments pour une fiche de lecture

Regarder la photographie

- Quelle impression le regard du photographié produit-il sur vous ? Pourquoi ?
- À votre avis, celui qui photographie et celui qui est photographié sont-ils vraiment le même ? Pensez à la distorsion de l'image.
- Essayez de dire en quoi fixité et mouvement se mélangent dans cette photographie.

La dramaturgie et l'espace dramatique

- Commentez la structure de la pièce. Pourquoi Ionesco a-t-il choisi une composition en actes et en tableaux ?
- À quels moments de la pièce Ionesco met-il en place une esthétique du tableau ? Pourquoi ? Quels effets cela peut-il créer sur le spectateur ?
- Les didascalies vous paraissent-elles très présentes dans la pièce ? Commentez leurs rôles.
- Repérez des moments dans la pièce où Ionesco ne donne aucune précision sur ce qui se passe sur la scène. Analysez la marge de manœuvre laissée au

metteur en scène. Proposez des pistes d'interprétation et de représentation.

- Représentez par des schémas les différents lieux de la pièce, d'après les descriptions données dans les didascalies au début de chaque acte ou tableau.
- Relevez les différents moments où des fenêtres sont utilisées dans l'action. Que remarquez-vous ? Quelles sont les fonctions dramaturgiques de la fenêtre dans la pièce ?

La polémique et le jeu

- Miroir, peigne, cravate : étudiez les significations possibles des trois objets tendus par Jean à Bérenger dans le premier tableau. Comprenez-vous la réaction du personnage de Bérenger ?
- Comment réagissent les personnages lors du premier passage du rhinocéros au début de la pièce ? Cette réaction vous paraît-elle attendue ?
- Repérez l'allusion qui est faite dans le texte à la fable de La Fontaine, « Les animaux malades de la peste ». La lecture de ce texte apporte-t-elle un nouvel éclairage sur la pièce ? Retrouvez d'autres jeux du dramaturge avec des références littéraires et philosophiques, Molière et René Descartes notamment.
- « Peut-on savoir où s'arrête le normal, ou commence l'anormal ? Vous pouvez définir ces notions, vous, normalité, anormalité ? » : que pensez-vous de cette question posée par Dudard à Bérenger ? Qu'apporte ce débat ? Étudiez la réaction de Bérenger : vous paraît-elle nous indiquer quelque chose sur le risque qu'il y a à poser cette question ?

- Proposez une distribution des différents rôles de la pièce, en commentant et justifiant vos choix de comédiens.
- Eugène Ionesco définit sa pièce comme une « farce tragique ». Comment comprenez-vous l'expression ? Vous paraît-elle appropriée à votre perception de la pièce ?

La métamorphose

- Étudiez la progression de la scène de transformation de Jean. Comment celle-ci est-elle annoncée ? Les arguments de Jean vous paraissent-ils convaincants ?
- Comment peuvent s'expliquer les métamorphoses des personnages en rhinocéros ? Étudiez par exemple le personnage de Monsieur Papillon : en quoi son nom peut-il être considéré comme un programme paradoxal ?
- Relevez les différents arguments donnés au cours de la pièce en faveur de la métamorphose. Que constatez-vous ?
- Cherchez, dans des anthologies ou des manuels de français, des photographies de mises en scène de *Rhinocéros*. Étudiez la manière dont les metteurs en scène ont choisi de représenter les personnages et les rhinocéros. Proposez à votre tour une solution personnelle.
- De toutes les interprétations que l'on peut donner de la métamorphose en rhinocéros, laquelle vous paraît la plus pertinente ? Pourquoi ?

Collège

Amos OZ, *Soudain dans la forêt profonde* (196)

Louis PERGAUD, *La Guerre des boutons* (65)

Charles PERRAULT, *Contes de ma Mère l'Oye* (9)

Edgar Allan POE, *6 nouvelles fantastiques* (164)

Jacques PRÉVERT, *Paroles* (29)

Jules RENARD, *Poil de Carotte* (66)

Antoine de SAINT-EXUPÉRY, *Vol de nuit* (114)

Mary SHELLEY, *Frankenstein ou le Prométhée moderne* (145)

John STEINBECK, *Des souris et des hommes* (47)

Robert Louis STEVENSON, *L'Étrange Cas du docteur Jekyll et de M. Hyde* (53)

Jean TARDIEU, *9 courtes pièces* (156)

Michel TOURNIER, *Vendredi ou La Vie sauvage* (44)

Fred UHLMAN, *L'Ami retrouvé* (50)

Jules VALLÈS, *L'Enfant* (12)

Paul VERLAINE, *Fêtes galantes* (38)

Jules VERNE, *Le Tour du monde en 80 jours* (32)

H. G. WELLS, *La Guerre des mondes* (116)

Oscar WILDE, *Le Fantôme de Canterville* (22)

Richard WRIGHT, *Black Boy* (199)

Marguerite YOURCENAR, *Comment Wang-Fô fut sauvé et autres nouvelles* (100)

Émile ZOLA, *3 nouvelles* (141)

Lycée

Série Classiques

Écrire sur la peinture (anthologie) (68)

Les grands manifestes littéraires (anthologie) (175)

Pour plus d'informations,
consultez le catalogue à l'adresse suivante :
http://www.gallimard.fr

Composition Interligne
Impression Novoprint
le 16 janvier 2012
Dépôt légal: janvier 2012
1er dépôt légal dans la collection: septembre 2006

ISBN 978-2-07-033880-1./Imprimé en Espagne.